中國文化二十四品

中国文化二十四品

阳湖文库

饶宗颐 叶嘉莹 顾问
陈　洪 徐兴无 主编

金声玉振

黄钟大吕的古乐

司冰琳 著

江苏人民出版社

图书在版编目（ＣＩＰ）数据

金声玉振：黄钟大吕的古乐 / 司冰琳著. -- 南京：
江苏人民出版社，2017.1
（中国文化二十四品）
ISBN 978-7-214-17398-0

Ⅰ．①金… Ⅱ．①司… Ⅲ．①音乐史－中国－古代
Ⅳ．①J609.22

中国版本图书馆CIP数据核字(2016)第048216号

书　　　　名	金声玉振——黄钟大吕的古乐	
著　　　　者	司冰琳	
责 任 编 辑	马晓晓　　卞清波	
责 任 校 对	史雪莲	
装 帧 设 计	刘葶葶　　张大鲁	
出 版 发 行	凤凰出版传媒股份有限公司	
	江苏人民出版社	
出版社地址	南京市湖南路 1 号 A 楼，邮编：210009	
出版社网址	http://www.jspph.com	
经　　　　销	凤凰出版传媒股份有限公司	
照　　　　排	南京凯建图文制作有限公司	
印　　　　刷	江苏凤凰通达印刷有限公司	
开　　　　本	652 毫米×960 毫米　1/16	
印　　　　张	13　插页 3	
字　　　　数	144 千字	
版　　　　次	2017 年 1 月第 1 版　2017 年 3 月第 2 次印刷	
标 准 书 号	ISBN 978-7-214-17398-0	
定　　　　价	31.00 元	

（江苏人民出版社图书凡印装错误可向承印厂调换）

编委会名单

总　序

陈　洪　徐兴无

　　我们生活在文化之中，"文化"两个字是挂在嘴边上的词语，可是真要让我们说清楚文化是什么，可能就会含糊其词、吞吞吐吐了。这不怪我们，据说学术界也有 160 多种关于文化的定义。定义多，不意味着人们的思想混乱，而是文化的内涵太丰富，一言难尽。1871 年，英国文化人类学家爱德华·泰勒的《原始文化》中给出了一个定义："文化，或文明，就其广泛的民族学意义上来说，是包含全部的知识、信仰、艺术、道德、法律、风俗，以及作为社会成员的人所掌握和接受的任何其他的才能和习惯的复合体。"[①]其实，所谓"文化"，是相对于所谓"自然"而言的，在中国古代的观念里，自然属于"天"，文化属于"人"，只要是人类的活动及其成果，都可以归结为文化。孔子说："饮食男女，人之大欲存焉。"[②]在这种自然欲望的驱动下，人类的活动与创造不外乎两类：生产与生殖；目标只有两个：生存与发展。但是人的生殖与生产不再是自然意义上的物种延续与食物摄取，人类生产出物质财富与精神财富，不再靠天吃饭，人不仅传递、交换基因和大自然赋予的本能，还传承、交流文化知识、智慧、情感与信仰，于是人种的繁殖与延续也成了文化的延续。

　　所以，文化根源于人类的创造能力，文化使人类摆脱了

---

　　① ［英］爱德华·泰勒：《原始文化》，连树声译，谢继胜、尹虎彬、姜德顺校，广西师范大学出版社，2005 年，第 1 页。
　　② 《礼记·礼运》。

1

自然,创造出一个属于自己的世界,让自己如鱼得水一样地生活于其中,每一个生长在人群中的人都是有文化的人,并且凭借我们的文化与自然界进行交换,利用自然、改变自然。

由于文化存在于永不停息的人类活动之中,所以人类的文化是丰富多彩、不断变化的。不同的文化有不同的方向、不同的特质、不同的形式。因为有这些差异,有的文化衰落了甚至消失了,有的文化自我更新了,人们甚至认为:"文化"这个术语与其说是名词,不如说是动词。[①] 本世纪初联合国发布的《世界文化报告》中说,随着全球化的进程和信息技术的革命,"文化再也不是以前人们所认为的是个静止不变的、封闭的、固定的集装箱。文化实际上变成了通过媒体和国际因特网在全球进行交流的跨越分界的创造。我们现在必须把文化看作一个过程,而不是一个已经完成的产品"[②]。

知道文化是什么之后,还要了解一下文化观,也就是人们对文化的认识与态度。文化观首先要回答下面的问题:我们的文化是从哪里来的? 不同的民族、宗教、文化共同体中的人们的看法异彩纷呈,但自古以来,人类有一个共同的信仰,那就是:文化不是我们这些平凡的人创造的。

有的认为是神赐予的,比如古希腊神话中,神的后裔普罗米修斯不仅造了人,而且教会人类认识天文地理、制造舟车、掌握文字,还给人类盗来了文明的火种。代表希伯来文化的《旧约》中,上帝用了一个星期创造世界,在第六天按照自己的样子创造了人类,并教会人们获得食物的方法,赋予人类管理世界的文化使命。

---

① 参见[荷兰]C. A. 冯·皮尔森:《文化战略》,刘利圭等译,中国社会科学出版社,1992年,第2页。

② 联合国教科文组织编:《世界文化报告——文化的多样性、冲突与多元共存》,关世杰等译,北京大学出版社,2002年,第9页。

有的认为是圣人创造的，这方面，中国古代文化堪称代表：火是燧人氏发现的，八卦是伏羲画的，舟车是黄帝造的，文字是仓颉造的……不过圣人创造文化不是凭空想出来的，而是受到天地万物和自我身体的启示，中国古老的《易经》里说古代圣人造物的方法是："仰则观象于天，俯则观法于地，观鸟兽之文与地之宜，近取诸身，远取诸物。"《易经》最早给出了中国的"文化"和"文明"的定义："刚柔交错，天文也。文明以止，人文也。观乎天文，以察时变；观乎人文，以化成天下。"文指文采、纹理，引申为文饰与秩序。因为有刚、柔两种力量的交会作用，宇宙摆脱了混沌无序，于是有了天文。天文焕发出的光明被人类效法取用，于是摆脱了野蛮，有了人文。圣人通过观察天文，预知自然的变化；通过观察人文，教化人类社会。《易经》还告诉我们："一阴一阳之谓道，继之者善也，成之者性也。仁者见之谓之仁，知者见之谓之知。"宇宙自然中存在、运行着"道"，其中包含着阴阳两种动力，它们就像男人和女人生育子女一样不断化生着万事万物，赋予事物种种本性，只有圣人、君子们才能受到"道"的启发，从中见仁见智，这种觉悟和意识相当于我们现代文化学理论中所谓的"文化自觉"。

为什么圣人能够这样呢？因为我们这些平凡的百姓不具备"文化自觉"的意识，身在道中却不知道。所以《易经》感慨道："百姓日用而不知，故君子之道鲜矣。"什么是"君子之道鲜"？"鲜"就是少，指的是文化不昌明，因此必须等待圣人来启蒙教化百姓。中国文化中的文化使命是由圣贤来承担的，所以孟子说，上天生育人民，让其中的"先知觉后知""先觉觉后觉"[1]。

---

[1] 《孟子·万章》。

3

无论文化是神灵赐予的还是圣人创造的，都是崇高神圣的，因此每个文化共同体的人们都会认同、赞美自己的文化，以自己的文化价值观看待自然、社会和自我，调节个人心灵与环境的关系，养成和谐的行为方式。

中国现在正处在一个喜欢谈论文化的时代。平民百姓关注茶文化、酒文化、美食文化、养生文化，说明我们希望为平凡的日常生活寻找一些价值与意义。社会、国家关注政治文化、道德文化、风俗文化、传统文化、文化传承与创新，提倡发扬优秀的传统文化，说明我们希望为国家和民族寻求精神力量与发展方向。神和圣人统治、教化天下的时代已经成为历史，只有我们这些平凡的百姓都有了"文化自觉"，认识到我们每个人都是文化的继承者和创造者，整个社会和国家才能拥有"文化自信"。

不过，我们越是在摆脱"百姓日用而不知"的"文化蒙昧"时代，就越是要反思我们的"文化自觉"，因为"文化自觉"是很难达到的境界。喜欢谈论文化，懂点文化，或者有了"文化意识"就能有"文化自觉"吗？答案是否定的。比如我们常常表现出"文化自大"或者"文化自卑"两种文化意识，为什么会这样呢？因为我们不可能生活在单一不变的文化之中，从古到今，中国文化不断地与其他文化邂逅、对话、冲突、融合；我们生活在其中的中国文化不仅不再是古代的文化，而且不停地在变革着。此时我们或者会受到自身文化的局限，或者会受到其他文化的左右，产生错误的文化意识。子在川上曰："逝者如斯夫。"流水如此，文化也如此。对于中国文化的主流和脉络，我们不仅要有"春江水暖鸭先知"一般的亲切体会和细微察觉，还要像孔子那样站在岸上观察，用人类历史长河的时间坐标和全球多元文化的空间坐标定位中国文化，才能获得超越的眼光和客观真实的知识，增强与其他文化交流、借鉴、融合的能力，增强变革、创新自己的文化的能力，这也叫做"文化自主"的能力。中国当代社会人类学家费孝通先生说：

　　"文化自觉"是当今时代的要求，它指的是生活在一定文化中的人对其文化有自知之明，并对其发展历程和未来有充分的认识。也许可以说，文化自觉就是在全球范围内提倡"和而不同"的文化观的一种具体体现。希望中国文化在对全球化潮流的回应中能够继往开来，大有作为。[①]

　　因为要具备"文化自觉"的意识、树立"文化自信"的心态、增强"文化自主"的能力，所以，我们这些平凡的百姓需要不断地了解自己的文化，进而了解他人的文化。

　　中国文化是我们自己的文化，它博大精深，但也不是不得其门而入。为此，我们这些学人们集合到一起，共同编写了这套有关中国文化的通识丛书，向读者介绍中国文化的发展历程、特征、物质成就、制度文明和精神文明等主要知识，在介绍的同时，帮助读者选读一些有关中国文化的经典资料。在这里我们特别感谢饶宗颐和叶嘉莹两位大师前辈的指导与支持，他们还担任了本丛书的顾问。

　　中国文化崇尚"天人合一"，中国人写书也有"究天人之际，通古今之变"的理想，甚至将书中的内容按照宇宙的秩序罗列，比如中国古代的《周礼》设计国家制度，按照时空秩序分为"天地春夏秋冬"六大官僚系统；吕不韦编写《吕氏春

---

　　① 费孝通：《经济全球化和中国"三级两跳"中的文化思考》，《光明日报》2000年11月7日。

秋》,按照一年十二月为序,编为《十二纪》;唐代司空图写作《诗品》品评中国的诗歌风格,又称《二十四诗品》,因为一年有二十四个节气。我们这套丛书,虽不能穷尽中国文化的内容,但希望能体现中国文化的趣味,于是借用了"二十四品"的雅号,奉献一组中国文化的小品,相信读者一定能够以小知大,由浅入深,如古人所说:"尝一脔肉,而知一镬之味,一鼎之调。"

2015 年 7 月

目　录

总论——古代音乐的历史变迁

　　中国音乐的历史犹如一条蜿蜒曲折的长河，它的源头犹如黄河、长江之源——它也是中国音乐文明的发端，沿着这条河流顺势而下，河床时宽时窄，不断有活水涌入，也不时会有河水从主干向支流奔去。这条历史长河历经千变万化融汇于今天人们的音乐生活中，这种千姿百态展现出音乐世界的多元化和多样性。纵观这条音乐大河，它总是随着社会的发展而变化，它的流向曾出现几次重大的变化和转折，即音乐形态和风格的变迁。学界将这种中国古代音乐的历史发展规律归纳为先秦乐舞、中古伎乐和近世俗乐的三大阶段。

钟磬乐舞时代(9000 年前至公元前 221 年):夏、商、周

中国是世界音乐文明最早的发源地之一。远古时期随着人类的出现,与音乐相关的活动也逐渐产生,并伴随着社会生产力的进步而不断发展。在中国古代文献中,一般将音乐的历史追溯到黄帝时期。当然这些文献大多属于神话与传说,不能作为完全可信的判断依据。20 世纪以

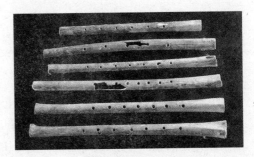

贾湖骨笛

来，随着与音乐相关的如乐器等出土文物不断"浮出水面"，中国音乐由来已久的历史被一次次地证明。从目前发现的考古文物来看，中原地区在九千年前便创造了真正的乐器，河南省贾湖新石器遗址出土的骨笛以确凿的史实向世人展示了中国音乐历史的悠久和文明发展的高度。由战国末期秦国丞相吕不韦集合门客共同撰写的《吕氏春秋》保存了先秦各家各派的不同思想和学说，内容包括政治、军事、天文历法、音乐等方面，其中《大乐篇》开篇第一句云："音乐之所由来者，远矣！生于度量，本于太一。"这句不但告诉我们音乐的由来久远，并且将音乐的起源和宇宙万物的起源联系起来。这种音乐起源于"太一"的学说具有明显的道家思想，"一阴一阳谓之道"，将阴阳两极的变化看作是世间万物产生与发展的根本规律。

先秦时期文献中经常出现"乐"字，其含义很广泛，它是包括舞蹈、音乐、诗歌在内的综合艺术形式，并非专指"音乐"，与后世"音乐"含义有所不同。虽然《吕氏春秋》最早使用"音乐"一词，但"音乐"当时并非作为一门独立的艺术门类而存在。在中国历史上很长一段时间，至少在宋代以前，乐舞的形式及其表演依然是宫廷音乐艺术的主要形式，舞与乐似乎是一对无法分开的"孪生姐妹"。宋代以后，戏曲替代歌舞逐渐成为艺术发展的主流，虽然二者在作品及表演特征等方面均有不同，但歌舞乐的综合艺术形式一脉相承，依然在戏曲艺术中得以延续。

"乐"作为一个综合概念的传统，长期地保留在中国历代官修的史书中，二十五史记载各个朝代音乐历史的篇目，只有《隋书》《旧唐书》以"音乐志"出现，其他如《史记》中称之为"乐书"，《汉书》《新唐书》《元史》中称之为"礼乐志"，《晋书》《宋书》《南齐书》《魏书》《旧五代史》《宋史》《辽史》《金史》《明史》《清史稿》十部史书中都称之为"乐志"。

乐舞是世界艺术发展史上各个民族曾经共有的艺术形式,至今一些古老的部族中依然保留着这种集体的歌舞活动。从夏代开始,中国由原始社会进入了阶级社会,夏、商两代相继建立了奴隶制王朝。夏、商时期的乐舞形态延续着原始社会歌、舞、乐三者综合的艺术形式,但在乐舞内容上却鲜明地反映出阶级社会艺术作品的特点,即体现统治阶级的利益和意志,这时的乐舞已经渐渐不再像原始氏族乐舞那样为氏族所共有。夏代的《大夏》和商代的《大濩》是夏、商两代的代表性乐舞,都以"人"为歌颂对象。例如夏代的大禹治理洪水,造福人民,于是便出现了歌颂大禹治水功绩的乐舞作品《大夏》。汉代成书的《礼记》详细具体地记载了《大夏》的表演情况:男人们戴着皮帽子,穿着白色的裙子,赤裸着上半身跳舞,以此乐舞来歌颂大禹治水的功劳。虽然我们仅从文献的记载并不能肯定人们在汉代初年是否能看到《大夏》这部乐舞的演出,但这种史诗性乐舞往往具有惊人的稳定性和长久的生命力,或许从现在一些少数民族的歌舞形式与表演中能够窥见很多古礼的传统与古代乐舞的遗存。

以娱乐鬼神为目的带有巫术意味的原始乐舞发展至商代,涂上了更加浓厚的神秘色彩。此时的乐舞由氏族的、为全社会服务进而变成为神权服务。商代代表性的乐舞是《大濩》,用于祭祀祖先,具有图腾崇拜的意义,这一点与原始乐舞形式是具有一致性的,但是它的艺术风格保留了神秘的、娱乐的,甚至是狂热奔放的风格。由于商代巫风盛行,商民族的巫师具有较高的文化水平,出现了专司祭祀的巫(女巫)和觋(男巫)。他们为奴隶主所豢养,能歌善舞,又能占卜吉凶,拥有高人一等的社会地位。可以说,歌舞的兴起是源于古老的巫术,他们是中国音乐历史上较早出现的职业音乐舞蹈家。

商代的乐舞还有用来求雨的《雩舞》,用来驱鬼逐疫的《魌舞》,以及用来祭祀祖先和社交活动的《桑林》等。商代的甲骨文被视为中国最早的文字,文字的发明和应用使中华民族进入到信史时期,同时商代青铜铸造业的发展也预示着一个伟大的时代即将到来。乐器的发展与生产力的关系十分密切,商代青铜铸造业的发展以及文字的发明和使用,都为精美的青铜乐器制作提供了可能。青铜乐器比之前代乐器,无论性能与音色,还是外观和规模,都极大地丰富了音乐的表现力,成为古代乐器史上具有重大意义的革新。

西周社会建立起中国历史上第一个完整的宫廷雅乐体系,礼乐制度为西周政治的稳定和周代文化的辉煌奠定了基础。雅乐作为古代祭祀天地、神灵、祖先等典礼中演奏的音乐和表演的乐舞,被用于周代社会及礼仪的各个方面,如郊社、宗庙、军事大典等。在这些活动中,最被推崇的雅乐有六部乐舞,它们集六个时代乐舞作品之大成,因此也称作"六代之乐"。每个民族都有史诗性的作品,从这个意义上说,具有深刻历史文化内涵的"六代之乐"是集音乐文化精华的时代史诗。作为祭祀大典表演的乐舞,供祖先"聆听观赏",它所强调的是对后世子孙的教育和道德教化,统治者希望这种雅乐能够维护良好的社会秩序,在音乐上营造出庄严、肃穆的气氛,体现出统治者的审美理想。作为宫廷典礼和宴会中表演的乐舞,其目的是使参加典礼的贵族子弟受到伦理教育的感化,这种乐舞具有一定的观赏性和实用性,比如军事大典中的用乐要有鼓舞士气的作用,朝会宴飨中的音乐也要具有美感才能使之符合王公贵族们的欣赏口味。

"六乐"所代表的"六代之乐"从黄帝时代算起,由当时部落或者氏族的首领主持乐舞活动,氏族社会的巫师以及后来商周时代专职的"瞽师"成为传授这种大型乐舞活动的人。这种古歌、古乐舞中所承载的历史信息世代相传、相对稳定,直至今天依然有某些少数民族地区存在这种用于节日庆典、祭祖敬神的活动,也可以看作是民族的史诗性乐舞。在古代社会,这种具有史诗特点的古乐舞活动,既可以使子孙后代从中得到感化和教育,同时也具有文化传承的性质。值得一提的是,"六代之乐"的实际风格与后世正史中经学家们的解读可能并不一致,无论是《大夏》《大濩》,还是《大武》,它们所表现的内容和艺术特点虽不相同,但整体风格并不像后世文献所记载的"朱弦露越,一唱而三叹,可听而不可快也。"(《淮南子·泰族训》)《乐记》中的《魏文侯篇》和《宾牟贾篇》都有关于对古乐的描述,从这些文字中我们似乎可以感受到当时的雅乐具有震撼人心的力量和鲜明的时代风貌。

钟磬乐代表着中国先秦时期音乐艺术的高水平,金声玉振、鼓声隆隆,其宏伟的气势和多样的音色组合显示出中华民族独特的审美风格和高度发达的音乐文明。先秦钟乐的发展令人叹为观止,编钟的铸造反映出当时乐工们具有敏锐的辨音能力和审美感觉。周代编钟的数量由早期三枚一组到八枚一组,再到后来十几枚一组,编组逐渐地多样化,音列也不断增加。尤其到了春秋战国时期,在诸侯强盛、礼崩乐坏的时代背景下,青铜乐钟艺术逐渐迎来历史上最为辉煌灿烂的时期。湖北随县曾侯乙墓出土的大型编钟便是突出的代表,自 1978 年发掘以来,学术界对它的研究一度成为热点。其前所未知的神秘为我们探究中国先秦音乐的发展打开了一扇扇"阿里巴巴"式的大门,成为震惊世界的音乐文化宝库。

周代乐舞的内容渐渐离开了原始社会的图腾崇拜,由对神的敬畏和膜拜转而变为对人的歌颂和赞扬。春秋以后,随着西周王室力量的日益衰落，统治阶层建立起来的等级森严的礼乐制度面临大厦将倾的境地，诸侯国僭越礼制的现象已初见端倪，摇摇欲坠的礼乐制逐渐遭到摒弃，而新兴的民间俗乐——"郑卫之音"开始登上历史舞台展露风姿，它新鲜的内容和生动活泼的表现形式，受到各地诸侯贵族们的喜爱。雅乐和郑卫之音相争的态势，可谓愈演愈烈。

音乐是随着时代而变化的。战国时期雅乐逐渐僵化，而此时各地的民间音乐迅速地发展，这种以娱乐性、世俗性为特点的音乐风格受到人们的喜爱，王公贵族们皆热衷于此。魏国国君魏文侯与子夏有一段对话最为著名，收录在《乐记·魏文侯篇》中，让魏文侯感到困惑的是为何欣赏古乐和新乐有那么不同的感受。这个事例其实很有现实意义，千百年来雅俗关系都是中外音乐史上争相关注的热门话题。问题的实质是古乐渐渐失去了感动人心的力量，新乐则因其新颖的魅力而让人听得不知疲倦。正如今天人们常谈论的话题——传统遭遇现代。那时代表古乐的雅乐遭遇到代表新乐的"郑卫之音"，在一老一新的对抗中，后者因为更加符合时代发展和审美要求而成为"主流"，这是历史发展的必然。

歌舞伎乐时代（公元前 221 年至公元 960 年）：秦、汉、魏、晋、南北朝、隋、唐、五代

从秦汉到隋唐五代这一时期的历史将近 1200 年，属于中国古代音乐史上三大历史分期的第二个阶段——以歌舞大曲为主的中古伎乐时期。有学者认为整个中古时期的音乐，从风格上可分为前、后两个阶段：前一阶段（前 221—420）包括秦、两汉、魏、晋，其特点是汉族音乐仍占音乐的主体地位，比如相和大曲、清商大曲以及乐队演奏中所使用的中原乐器笙、竽、琴、瑟、笛等；后一时期（420—960）为南北朝、隋、唐、五代，其特点是外族音乐和中原音乐相互融合，音乐的成分是来自多民族的，比如燕乐歌舞大曲以及琵琶、筚篥、箜篌等西域乐器和北方少数民族乐器的广泛使用。

秦始皇统一中国，建立起中国历史上第一个以华夏族为主体，多民族共融的中央集权制国家，结束了自春秋以来五百多年诸侯割据的局面。秦王朝的历史虽只存在了短短的十几年时间，但却举足轻重。秦朝所颁布的大量政策和制度在政治、经济、文化等许多方面具有开创意义，如统一文字、货币、度量衡，修筑长城等。秦国的音乐当时被称为"真秦之声"，《史记·李斯列传·谏逐客书》记载秦地音乐表演形式有击瓮叩缶、弹筝搏髀、歌呼呜呜，由此可见其风格是热情豪放的。

汉高祖刘邦打败西楚霸王项羽，建立汉朝，定都长安。汉武帝时派遣张骞出使西域，开辟横贯中西的陆路交通——

"丝绸之路",这不仅是一条交通要道,更是一条中原文化与西域文化交流的重要通道。它的出现逐渐改变了上古时期华夏文化相对封闭的格局,形成以华夏音乐与西域音乐相互交流融合为特征的音乐文化面貌。自此,西域音乐的东渐和歌舞伎乐形态的盛行成为中古时期音乐的主要潮流,直至隋唐。丝绸之路的开辟改变了上古时期因为交通不畅、交流不便而导致相对封闭的文化面貌。历史上西域地区的民族迁徙和人口流动非常频繁,其固有的文化和传入的新文化经过不断地融合,形成了丰富多彩的西域文化,音乐和舞蹈是西域文化中极具特色的组成部分。在中外音乐文化交流的过程中,一批外来乐器和乐舞传入中原,促使汉唐音乐面貌发生巨大变化。同时大量优秀的中原音乐文化也通过丝绸之路源源不断地传到西方,各民族之间的相互吸收、融汇,创造出灿烂的人类文明,形成了东西方音乐文化交流的一个高潮时期。

文献典籍中记载了一些相关的史料,如十六国时期,前秦建元十六年(公元 383 年),前秦王苻坚命大将吕光出征西域,第二年征服龟兹,吕光用两万多匹骆驼载着西域珍宝及歌舞艺人东归。这便是《隋书·音乐志》记载的"吕光出平西域,得胡戎之乐",也是"龟兹乐"较早进入中原的历史资料。北周天和三年(公元 568 年),武帝宇文邕娶突厥公主阿史那氏为皇后,西域各国如龟兹、疏勒、安国、康国等委派歌舞艺人随之东来。这些都是西域音乐大规模传入中原的典型事例,因此,东晋十六国时期也是西域音乐在中国空前传播的时代,为其后隋唐时期多民族音乐文化融合与宫廷燕乐的高度发展奠定了坚实的基础。

在制度方面,汉初承袭秦制,汉武帝时期将秦代建立的乐府机构发展壮大,建立起"采诗夜颂"的制度,大量扩充乐府机构成员。汉代乐府的主要任务是采集民间歌谣,它的设立促成了汉代民间音乐的繁荣。至今保存下来的一部分汉代乐府歌辞,反映出当时人们真挚的情感世界和丰富的音乐生活。

汉墓乐舞画像石——汉代相和乐队

相和歌是汉代北方各地民间歌曲的总称,本来是民间无伴奏的"徒歌",后来在这个基础上加上丝类、竹类乐器伴奏,便成为"丝竹更相和,执节者歌"(《宋书·乐志》)的形式,称作"相和歌"。丝竹类伴奏乐器有琴、瑟、筝、琵琶、笛、笙、箫、节鼓等中原乐器,由歌唱者击节鼓统一节奏。相和歌的结构后来发展为大型歌舞大曲的形式,称作"相和大曲"。汉代的乐舞百戏(汉代民间歌舞、杂技、幻术等种类繁多,统称为"百戏")十分发达,从众多出土的反映汉代社会生活的画像石、画像砖中可窥见其风貌。如山东沂南东汉末年画像石中的乐舞百戏图,画面上有三组乐队分别为不同的百戏节目伴奏,其中一幅描述的是七盘舞(又名盘鼓舞、般鼓舞)表演,类似杂技表演、脚踏鼓面盘旋的舞蹈。画像中舞者长袍正冠,做大弓步,两袖横飞,体态矫健,正欲腾踏七盘。前面是一支17人的管弦丝竹乐队,乐人席地而坐,第一排是击小鼓的女乐,第二、三排的乐人有的吹排箫、有的弹瑟吹竽等。画面的上方置一个大型建鼓、两件大钟和四件编磬。人物刻画栩栩如生,让人联想到汉代乐舞百戏的气势与盛况,同时也是与乐舞表演相配合的汉代相和乐队的生动写照。

魏晋南北朝的五个半世纪中,除西晋有51年的短暂统一外,其余500年,中国社会处于分裂割据状态。由于吴国、东晋、宋、齐、梁、陈都相继定都在建康,南京也因此被誉为"六朝古都"。就文化特点而言,中国历史上周、秦、汉等朝代都建都在长安、洛阳等北方黄河流域一带,而"六朝"的汉族政权定都在以南京为中心的长江流域一带。政治和经济中心的转移造成文化中心的南迁,使这一时期的音乐文化具有新的特色。以北方音乐为主体的汉代相和歌,六朝时则被以南方音乐为主的清商乐所继承和发展。

魏晋时代黑暗的政治制度造就了以嵇康和阮籍为代表的一代具有叛逆性格和独立精神的士人群体。他们钟情于古琴音乐,在中国音乐史上写下不平凡的一页。这一时期因为战争以及皇族通婚等因素的影响,西域的生活风俗和音乐艺术在南北朝时期开始风靡中原。

隋王朝的建立结束了中国自魏晋南北朝以来长达400年动荡、分裂的局面,完成了国家统一。中国封建社会由此进入了最为强盛的封建帝国时代。唐代政治稳定,经济发达,文化事业也随之空前地昌盛繁荣,其影响波及到周边的许多国家和地区。统治者奉行开放政策,积极吸纳异域文化,加上魏晋以来各民族音乐文化的不断融合,终于迎来以歌舞音乐为主要标志的音乐艺术全面发展时期。唐代音乐艺术生动地体现出唐朝的时代特色和盛唐的文化气息,比如在汉魏以来的相和大曲、清商大曲的基础上吸收了西域音乐的特点,发展成盛极一时的唐代燕乐歌舞大曲。就大曲的性质与表演情况而言,相和大曲和清商大曲是一以贯之的,它们虽成形于不同时代,有乐器使用、作品风格等方面的差异,但其本质都是以汉族音乐为主体的歌舞艺术,二者之间有着继承性。而唐代燕乐大曲与宋代大曲则不属于这种情况,唐、宋大曲虽常常并提,但两者在文化上存在着历史的断层。唐末宋初,音乐的传承方式随着政治、经济等方面的变革而发生巨大变化,前代歌舞艺术的面貌难以在后世得到接续和传承。

从音乐历史的发展规律来看,由于得到宫廷王室、豪门权贵的扶持与保护,汉唐时期的音乐艺术传承者与春秋战国时期相比,已经有了更为广阔的发展天地。汉唐时代的王侯将相、豪强显贵在自己家中蓄养伎乐班子成为普遍的现象。这些庄园主们从小在歌舞升平的环境中长大,大多喜好音乐、懂得音乐,擅长音乐技艺。但是随着社会经济生活的大变革,使原来喜爱音乐艺术、为艺人提供强大经济保障的大庄园主很难拥有昔日的经济实力和社会地位,庄园主经济的辉煌时代一去不返,代之而起的是城市经济的迅猛发展。宋元以后,尽管还有一些大家族里养伎乐班,但与这种经济制度有着紧密关系的歌舞伎乐已经因失去了它所属的阶层和发展条件而步入尾声,歌舞大曲的演出规模越来越小,甚至只能掌握其中的若干"遍"(指大曲的某段)。

唐代宫廷贵族和文人接连不断的大宴小席,必有歌舞相佐,歌舞音乐的社会需求量急遽膨胀。宫廷、官府、军营、民间的宫伎、官伎、营伎、家伎不计其数,她们在各种歌舞和音乐形式中担任歌唱、舞蹈和器乐演奏的角色。唐代多种高质量的音乐机构为宫廷高水平歌舞艺人的培养与输送提供了必要的保障。在魏晋南北朝时期西域音乐大规模传入的基础上,建立起了以多民族音乐为特色的文化体制,宫廷音乐在唐代得到高度发展。唐代宫廷宴会表演的多部乐，主要用于重要的庆典活动中，它们类似于礼仪活动的节目单。当然，在唐朝宫廷表演各个国家和地域的歌舞艺术也有着重要的政治因素，它意味着周边的诸国和诸地都臣服于国力强盛、疆域辽阔的大唐帝国。

唐朝宫廷中与体现各地传统乐舞为特色的多部乐（"九部乐""十部乐"）相比，"坐部伎"和"立部伎"（统称"二部伎"）已经有不少创作的成分。其得名于《新唐书·礼乐志》的记载："分乐为二部，堂下立奏，谓之立部伎；堂上坐奏，谓之坐部伎。"二者在演出规模、音乐风格上亦有十分鲜明的对比："立部伎"规模大，人数多，舞者最少 64 人，场面宏伟，伴以擂鼓，气势磅礴；"坐部伎"则相反，最多 12 人，少则 3 人，音乐幽雅抒情，表现细腻，注重个人技巧。"立部伎"表演时乐队在"堂下立奏"，"坐部伎"的乐队则和歌唱、舞蹈同时在"堂上"表演。唐代无论各民族的传统歌舞"九部乐""十部乐"，还是具有创作成分的"坐部伎""立部伎"，都体现出宫廷音乐高度繁荣的时代特色。20 世纪 70 年代发掘的唐代李寿（577—630）墓位于陕西省咸阳市源县，其石椁浮雕上线刻的乐伎图、舞伎图引起了学界的广泛关注。舞伎图有 6 位舞者，分为三排，两两相对，翩翩起舞。乐伎图有两幅，分别各有 12 位乐人手拿琵琶、箜篌、笙、排箫、腰鼓等乐器奏乐，其中一幅是跪坐三排，另一幅是站立三排。这正是唐代宫廷音乐制度中的"坐部伎"和"立部伎"两种表演形式的形象再现。

这一时期各种器乐艺术在为歌舞大曲伴奏的同时，自身也获得迅速发展，如胡琵琶、筚篥、羯鼓、笛、筝、箜篌、胡笳等乐器，无论在宫廷还是民间都受到人们的喜爱。民间音乐中的"曲子"、文人音乐中的"琴乐"和"词乐"、佛教说唱音乐中的"变文"等艺术形式在唐代迎来大好发展局面。此外，唐代的记谱法、音乐理论著作等,都有着划时代的突破发展。唐代音乐的繁荣兴盛,究其原因,有社会生活的安定统一、经济的蓬勃发展、交通的便利发达、宗教信仰的多元化、统治者对各种文化类型的接受和文化意识的开放、文人对艺术的热爱等多种因素。

总之,汉唐时代的音乐艺术掀开了中国古代历史上光辉灿烂的篇章,这一历史时期呈现出多姿多彩的音乐景观,展现出中国人精神世界的开放与包容、洒脱与自信。

俗乐剧曲时代（公元 960 年至公元 1911 年）：宋、元、明、清

俗乐剧曲时代包括宋代以来的戏曲、曲子、说唱、歌舞、杂戏等艺术形式的发展与成熟。五代十国的半个多世纪，中国社会处于藩镇割据的动荡中。公元 960 年，北宋王朝的建立结束了五代十国时期分裂混乱的局面，从此中国历史进入近古时期。中国文化的格局由中古时期中原与西域各民族的东西方碰撞交融，转变为宋代以后北方各少数民族政权与汉族政权的对峙，进而形成南北分庭朝野的局面，这种变化及其余波对中国文化的发展影响十分深远，至今中国南方与北方不同区域的人文特征在某些方面仍然体现着千年前的遗风。

北宋时期，契丹族在北方建立辽（907—1125），党项羌建立西夏王朝（1032—1227），形成辽、西夏、北宋鼎立的局面。南宋时期，女真族建立金（1115—1234），金灭辽，又灭北宋，金又被蒙古族所灭，由蒙古族统一中国，建立元朝（1271—1368）。

宋代建立后，统治者极力扭转汉唐以来胡文化对汉文化的冲击，使儒学复兴，哲学、史学、文学、科学技术等各方面的文化建设，都有新的突破和发展。中国音乐文化的总体面貌，自宋代起发生了深刻变化，唐代宫廷歌舞音乐高度繁盛的局面一去不复返，中国音乐开始向更为广阔的民间渗透。如果说隋唐时期的歌舞大曲体现的是王宫贵族们的音乐审美与时代风尚，那么宋代以后市民阶层的音乐艺术则更多地

展现出百姓的日常生活和精神世界。随着都市商品经济的繁荣,适应市民阶层文化生活的游艺场所"瓦舍""勾栏"应运而生。在这些场所中,人们既可以听到叫声、小唱、唱赚等各种歌曲的演唱,也可以看到鼓子词、诸宫调、陶真、货郎儿等说唱音乐以及杂剧、南戏的戏曲表演。与此同时,宋代的词调音乐获得了空前发展,它继承隋唐曲子发展的遗绪,这种长短句的体裁可以分为引、慢、近、拍、令等形式,在填词上已经有"摊破""减字""偷声"等不同的手法。南宋姜夔是一位既会作词,又能度曲的著名词家和音乐家,有《白石道人歌曲》留存于世,为后人学习和研究宋代艺术歌曲提供了重要的谱本依据。

元朝的建立结束了中国长期存在的南、北分裂对峙的状态,多民族国家的统一是元朝重要的政治成就。元朝在经济上奉行开放的政策,积极参与同世界各国的贸易往来,尤其是海上丝绸之路的空前繁荣,无疑是元朝经济发展最直接的动力。海上交通的发达对中国东南沿海城市的发展产生巨大影响,明清时期的很多戏曲声腔便诞生在这些经济发达的地区。在农业、天文、医药、科技等方面,元代都取得很高的成就。在政治制度上,元朝实行了非常严格的等级制,把国人分为四等,由上至下依次为蒙古统治阶级、色目人、汉人与南人。把职业的等级分成十级:一官、二吏、三僧、四道、五医、六工、七匠、八娼、九儒、十丐。这种尖锐的阶级矛盾和民族矛盾,也为元代的灭亡埋下了祸根。元朝文化繁荣时期,不仅与阿拉伯、波斯等中东地区交往日益频繁,而且通过这些地区,与欧洲大陆取得了重要联系。国外的使者、商人、旅行家和传教士纷至沓来,其中著名的有大旅行家马可·波罗。

在器乐艺术方面,隋唐以来风靡宫廷的胡琵琶以及宋代开始流行的奚琴等外族乐器,逐渐与中原本土的音乐文化相融合,不断地丰富着中国的传统音乐。戏曲艺术在元代迎来了以元杂剧为代表的发展高峰期,出现一大批优秀的元杂剧作家和代表作品,如关汉卿、马致远、郑光祖、白朴、王实甫等,作品有《窦娥冤》《单刀会》《西厢记》等。南方戏曲也在元、明之际逐渐发展起来,出现了《拜月庭》《琵琶记》等一系列经典剧作,这些剧本经历代流传,有些至今仍活跃在戏曲舞台上。在元代大都和山西一带,戏曲演出活动十分活跃,山西洪洞县境内明应王殿的一幅壁画对研究元代戏曲形式具有重要价值。该壁画在正殿内南壁东侧,绘于泰定元年(1324)。画上横额正书"大行散乐忠都秀在此作场",全画色彩鲜明,基本保存完好。画面绘有演员和伴奏人员共11人,是元杂剧正末、外、净等角色和鼓、笛、拍板等乐器伴奏者临场演出时的写照。从这幅壁画可以看出当时演出道具十分讲究,有绣花的帷幕,幕上绘图两幅,右边一图绘苍松为背景,画一黑龙张牙舞爪,怒目而视;左边一图绘有壮士右手执剑,两手张开作斩杀状。壁画所绘舞台,是以方砖铺地面,与现存元代戏曲舞台遗址的实况相符。

明清时期的音乐艺术是中国古代音乐史上音乐形式和种类多样而丰富的时期。无论是从说唱音乐的发展到戏曲声腔的兴盛,从器乐演奏形式的多样性到器乐艺术独特的地域风格,还是自春秋时期"三分损益法"诞生以来,历代律学家们孜孜以求地追寻"黄钟还原"的理想,到朱载堉"新法密率"理论的产生,都体现出明清时期音乐艺术所取得的历史成就。明清社会市民阶层日益壮大,音乐文化的发展比之以前更加具有世俗化的特点。明代民间小曲内容丰富,虽然良莠不齐,但其影响之广,已经达到不问男女、人人习之的程度。由此,私人收集、编辑、刊刻的风气盛行,而且从民歌小曲到唱本、戏文、琴曲均有私人刊本问世，如冯梦龙编辑的《山歌》，朱权编辑的《神奇秘谱》等。文人参与曲谱的整理刊印成为明清时期音乐领域的重要成就。明清时期是我国传统音乐的重要延续和发展时期，其成果一直影响到始于 20 世纪中国近代专业音乐创作时代。

中国音乐的历史犹如一条蜿蜒曲折的长河，它的源头犹如黄河之源——是中国音乐文明的发端，沿着这条河流顺势而下，河床时宽时窄，不断有活水涌入，也不时会有河水从主干向支流奔去。这条历史长河历经千变万化融汇于人们今天的音乐生活中，这种千姿百态展现出音乐世界的多元化和多样性。纵观这条音乐大河，它总是随着社会的发展而变化，这条河流之所以能够生命不息是因为始终贯穿着一条发展的主线——中华民族的传统音乐。它的流向曾出现几次重大的变化和转折，即音乐形态和风格的变迁。关于中国音乐的历史形态，已故音乐学家黄翔鹏(1927—1997)先生提出过一个著名论断，他说："我认为历史上经历过以钟磬乐为代表的先秦乐舞阶段，以歌舞大曲为代表的中古伎乐阶段，以戏曲音乐为代表的近世俗乐阶段。产生这种变化的历史背景，就在于社会生活因经济的、政治的原因而发生的剧烈变革。"[1]这一论断精辟地阐述了中国古代音乐史上三个不同历史阶段曾经产生的三种不同音乐形态。

历史上每一个时代的政治、经济面貌发生深刻变化之后，人们的审美观念必然随之而改变，而这种改变给音乐带来的冲击往往是巨大的，甚至直接导致音乐形态的转型。或者说，中国音乐的形态和风格随着人们审美风尚的变化而在

---

[1] 黄翔鹏：《论中国古代音乐的传承关系—音乐史论之一》，中国艺术研究院音乐研究所编：《黄翔鹏文存》(上卷)，山东文艺出版社，2007 年 5 月，第94 页。

不断地变化之中,因此任何音乐现象都是一定历史条件下的文化产物。先秦时期的雅乐乐舞是原始社会和奴隶社会的主流音乐形态,代表其器乐发展高度的表现形式是庞大辉煌的钟磬乐。到春秋、战国之交奴隶制度趋于崩溃之际,适应于新兴地主阶级审美需要的"郑卫之音"便登上历史舞台,这种以女性表演为主的歌舞取代了以男性和童子表演为主的雅乐乐舞。唐代的歌舞大曲代表着汉唐时期歌舞伎乐发展的高度。唐宋之际,中国封建社会的皇权政治和皇室经济已无力支撑歌舞音乐的存在,以戏曲为代表的民间音乐又取代歌舞伎乐成为音乐的主流形态,虽然民间音乐自古有之,但其真正繁荣发展却是在这一历史时期。

20 世纪之前中国音乐的变迁经历了漫长的历史,期间不同发展阶段的标志性变革仍然是在中国传统社会这个相对稳定的范畴内完成的。20 世纪初中国社会的剧烈变化,其震幅犹如特大地震之级别,延续两千年的封建社会崩溃殆尽,西方文化的巨大冲击给中国社会方方面面带来深刻影响。20 世纪新音乐迎来划时代意义的历史性转折,这种变化的深层原因有来自中国社会内部政治、经济等方面的因素,但更为重要的是外来强势文化影响下中国音乐文化的自我选择。在具体形式上表现为大量采用西方音乐的体裁、创作思维、创作技法,与中国历史上曾经存在的音乐形态在表达方式、文化审美等方面有极大差异。如果说传统音乐是中国音乐的"过去时",那么 20 世纪的新音乐则是中国音乐的"现在时",但两者之间并非毫无关联,它们都是中国文化的产物。可以说属于中国传统音乐的时代已渐渐离我们远去,但传统音乐并未真正消亡,其生命在新的时代以新的音乐形式展现着音乐传统的延续性和独特的美感。

原典选读

1. 音乐之所由来者，远矣。生于度量，本于太一。① 太一出两仪，两仪出阴阳。阴阳变化，一上一下，合而成章。② ……形体有处，莫不有声。声出于和，和出于适。和适先王定乐，由此而生。③

——《吕氏春秋·仲夏纪·大乐篇》

2. 升歌《清庙》，下管《象》。朱干玉戚，冕而舞《大武》。④ 皮弁素积，裼而舞《大夏》。⑤

——《礼记·明堂位》

3. 歌舞之兴，其始于古之巫乎？巫之兴也，盖在上古之世。⑥ ……然则巫觋之兴，在少皞之前，盖此事与文化俱古矣。⑦ 巫之事神，必用歌舞。⑧ ……是古代之巫，实以歌舞为职，以乐神人者也。⑨

——王国维著《宋元戏曲史》，上海商务印书馆，1930年版

4. 魏文侯问于子夏曰："吾端冕而听古乐，则唯恐卧；听

---

① 音乐由来相当久远。它产生于发声体的长度和容量，其根本来源于"太一"。

② 从"太一"分出天地"两仪"，从"两仪"生出阴和阳，阴阳的变化，上下运动，融合起来形成各种事物的形状。

③ 凡是形体存在的地方，无不有声音。声音出自和谐，和谐出自适当，先王制定音乐就从这里开始。

④ 堂上歌唱《清庙》，堂下管乐演奏《象》曲，跳舞的人用手拿红色的盾牌和饰玉的大斧，头戴冠冕而跳《大武》舞。

⑤ 头戴皮弁，上半身裸露，下身穿腰间有褶皱的白裙，来跳《大夏》舞。

⑥ 歌舞乐的兴起，是开始于古代的巫术活动吗？巫风的兴起，是在上古时期。

⑦ 然而巫觋的兴起在少皞时代以前，因此这种巫术活动与其文化都很古老了。

⑧ 巫师在敬神活动中，必用歌舞。

⑨ 所以古代的巫师，实际是以歌舞为职业，为神灵表演音乐的人啊！

郑卫之音,则不知倦。① 敢问古乐之如彼,何也? 新乐之如此,何也?"②

——《乐记·魏文侯篇》

5.夫击瓮叩缶、弹筝搏髀,而歌呼呜呜快耳目者,真秦之声也。③ 郑、卫、桑间,昭、虞、武、象者,异国之乐也。④

——《史记·李斯列传·谏逐客书》

---

① 魏文侯问子夏:"我衣帽端正聚精会神地听古乐,可就怕会打瞌睡;听郑国和卫国的音乐,那就不知道疲倦。"

② 请问古乐使我那样是什么原因? 新乐使我这样又是什么原因呢?

③ 那些敲打瓦坛瓦罐、弹着秦筝、拍着大腿,同时歌唱呼喊发出呜呜之声来快活耳朵听觉的,才是真正地道的秦国音乐。

④ 而《郑》《卫》《桑间》《昭》《虞》《武》《象》之类,是异国它邦的音乐。

音乐制度与机构

　　一个时代音乐文化的繁荣表现在许多方面，其中音乐教育机构的建立和发展是重要的一环。中国古代的音乐机构，以周朝的"大司乐"，秦汉时期的"乐府"，唐代的"太常寺"、"教坊"、"梨园"最为著名，它们在中国音乐史上也成为"雅乐"、"俗乐"、"燕乐"三种不同音乐教育模式和观念的体现，或者说是这些音乐机构是应不同时代音乐发展的需要而产生，它们反映的正是一个时代音乐表演和音乐教育的特色。

周代的礼乐制度

　　中国素来被誉为"礼乐之邦",早在商代礼乐制度便初见端倪,而真正的礼乐文明定型是在西周,春秋战国时期获得高度发展。西周时期统治者为了维护奴隶主贵族的统治,以周天子为中心,实行分封,形成一种以血缘关系为基础的"宗法制",并根据君臣、上下、亲疏的区别,形成天子、诸侯、卿大夫、士这样一种由上而下的等级制度,一套完备的礼乐规范也由此建立。礼乐制的实质是以礼仪和音乐的等级化为核心的一种政治和文化制度。礼仪,包括各种礼节和仪式。音乐的等级化,则体现在"佾"和"乐悬制度"两个方面。"佾"指乐舞的行列,一般8人为一列,文献记载:"天子用八,诸侯用六,大夫四,士二。"周天子能够享用的"八佾"之乐是64人的乐舞表演规模,诸侯、大夫、士分别可以享用48人、32人、16

人的乐舞表演规模。同时在乐队演奏方面，也有着严格的规定，如《周礼·春官·大司乐》载："正乐县之位：王宫县，诸侯轩县，卿大夫判县，士特县。""县"通"悬"，"乐悬"指以钟磬乐为代表的乐队，因编钟和编磬是悬挂起来演奏而定名。《周礼》[①]规定天子可以享受四面之乐，诸侯则拥有三面排列的乐队规模，卿和大夫享用两面排列的乐队规模，士只允许享用一面排列的乐队规模。因此，西周确立的"乐悬制度"与其礼制的规定是相辅相成的，就如同天子拥有"九鼎八簋"[②]的祭祀规格，诸侯、卿大夫、士的祭祀规格也逐层递减，所以"乐悬制度"其实质是一种乐队和乐舞的等级制度，它对于维护西周奴隶社会近三百年统治的稳定和礼乐文化的奠定起到了积极作用。

为了实施礼乐制度，西周建立了中国历史上第一个规模宏大的音乐机构，也是我国历史上最早记载的有明确体系的音乐教育机构，后世学者称之为"大司乐"。"大司乐"一词本是周朝职官的名称，即"大乐正"，为乐官之长，后来将其作为周朝音乐机构的代名词。周代贵族在举行郊庙、乡射、军事大典等宫廷仪礼时都配有音乐和舞蹈，因此格外重视"乐"的教育，而乐的教学均由乐官担任。如有"大司乐"教国子乐德、乐语和乐舞；有"乐师"教国子小舞；有"钟师""磬师""笙师"等专门传授器乐技艺。有学者根据《周礼》考证当时机构

---

① 《周礼》是人们认识和研究西周礼乐制度的一部经典著作，虽然有些学者认为书中所描述的西周官职有许多后人（可能成书于战国时期）猜测和构想的成分，但应该说绝大部分内容并不是出于虚构，大部分材料的真实性可与同时代的西周金文、先秦时期的其他著作相互佐证。

② 鼎和簋是古代祭祀中最重要的礼器，鼎的件数和与簋的组合显示的是主人的财富、身份和权力。根据周礼的规定，在仪式中从王公诸侯到卿大夫按照等级享用单数的鼎和偶数的簋，因此周天子使用九鼎八簋、诸侯使用七鼎六簋，依次递减。后来"九鼎"也成为王权至上的象征。今天我们常用"一言九鼎"这个成语比喻一个人说话有分量，能起到决定事情的关键作用。

中的乐官和乐工确切可考的有1463人，虽然人数极为庞大，却分工明确、各司其职。周朝音乐机构的主要任务是用音乐教育贵族子弟，以世子和国子等贵族子弟为教育对象，学习年限从13岁一直到20岁，并且有严格的学习进度和程序。西周礼乐机构设置的目的，在于巩固周王室的阶级统治，把雅乐的审美观作为学习的典范，统治者希望通过音乐教育可以使整个社会能够"和"而有序。因此，西周建立的这种乐官制度在客观上极大地提高了当时的音乐水平，这一整套从政治到文化周详完备的等级制对当时周王室统治地位的巩固以及西周政治的稳定和文化的发展起到了极其重要的作用，这种典章制度对后世中国社会的影响十分深远。

雅乐起源于西周，在当时将用于祭祀天地、神灵、祖先等重大典礼及宴飨活动的乐舞称之为"雅乐"，后世被用来泛指各个朝代的礼仪用乐。"雅乐"这一概念及其含义在长期的历史进程中不断发生着变化，周代的"雅"是指"正"，亦通"夏"，当时除了雅乐之外，还有雅诗、雅言等称谓，都是指周民族的、本土的音乐、诗歌和语言。因此，西周礼乐制度所规定的用乐，最初正是指这一意义上的"雅乐"。后世各朝各代在建邦之初都要"制礼作乐"，成为统治者最为重视的大事之一。西周雅乐与礼制同时产生，周公（姓姬名旦，周武王之弟）乃是"制礼作乐"的首创者。"周公行政七年，成王长，周公反政成王，北面就群臣之位。"（《史记·周本纪》）周公长子伯禽封于鲁，成王赠之以《礼》《乐》，因此，鲁国拥有周文化之精髓，成为各诸侯国的"礼仪之邦"。

西周雅乐定格在它所产生的时代，与周代文化的辉煌紧紧连在一起，其基本面貌与审美追求也同时留在历史的文献中，为后人展示了一个理想王国的图景，正如孔子所感慨的"郁郁乎文哉！吾从周"（《论语·八佾》）。中国古代有十分重视"乐"的传统,历代正史的音乐文献中有大部分内容着墨于此。因为在古人的观念中"礼"和"乐"是相辅相成的,二者的关系形如天地,密不可分。甚至可以说没有"乐"的"礼"不能称为"礼",没有"礼"的"乐"也不能称为"乐"。《乐记·乐论篇》云:"大乐与天地同和,大礼与天地同节。"将礼乐制度的作用提高到宇宙社会和谐、共存的高度,这是我国古代哲人思想闪烁的智慧之光。"乐"具有伦理教育、道德感化、陶冶性情之功能,与现代社会一些仅仅用之于娱乐的、消遣的音乐观有着天壤之别。

《礼记·乐记》"宾牟贾篇"中有关于孔子和宾牟贾的一段对话,讨论《大武》表演时"声淫及商"的问题。宾牟贾说商音并非是《武》中的音,孔子问如果不是,那为何呢?宾牟贾回答说要么是失传的原因,要么就是武王的统治力衰微了。那么西周雅乐是否具备商音?《周礼·春官·大司乐》记载:"凡乐,圆钟为宫,黄钟为角,太簇为徵,姑洗为羽。"又:"凡乐,函钟为宫,太簇为角,姑洗为徵,南吕为羽。"又:"凡乐,黄钟为宫,大吕为角,太簇为徵,应钟为羽。"文献中并未提到"商"。文献中关于西周雅乐没有商音的记载,与出土西周编钟的测音结果是相印证的。西周至春秋早期编钟的音列都是从羽音开始,宫音结束。其音阶为"宫-角-徵-羽",没有商音,说明周人与商人所用的音乐体系很不一样。因此《大武》的音乐本应该是没有商音的,但这并不意味着当时社会上的音乐都不出现商音。除雅乐之外,在西周社会依然还有影响很大的商民族的音乐,商民族的音乐当然包含着商音,而且它还是这个民族的特性音。西周统治者之所以长时间不接受商族音乐,是因为音乐与其他文化形式一样,属于意识形态的范畴,当时文化上远不如商民族发达的周人虽然善于吸纳前代留下的文明成果,但意识形态领域的改变不是一朝一夕可以完成的,其复杂性和保守性有时超出人们的想象。周民族排斥商音,是为了维护其正统地位不受到威胁,政治因素是这一现象的主导。

进入春秋时代以后,诸侯纷争,西周社会的政治、经济等各方面出现激烈变动,诸侯的势力越来越大,所谓"挟天子以令诸侯",周天子的统治地位与以严格等级为特征的雅乐制度一起面临着大厦将倾、摇摇欲坠的境地。"礼失在诸野",各地诸侯国的音乐蓬勃兴起,礼乐制度出现危机,曾经是国家最重要事务的"礼、乐、征、伐"不再"自天子出",各地诸侯常有僭越礼制行为,最终这股来势汹汹的洪流将西周雅乐的一统地位彻底摧毁,孔子所言"郑声淫"便是在这种历史背景下产生的。实际上,这三个字应该理解为郑国的民间音乐过于兴盛,对雅乐造成侵扰,而不该指责郑声淫荡,与后人将"淫"字理解为男女关系不正当无关。孔子对《诗经》的首篇《关雎》的评价是"乐而不淫,哀而不伤",这里的"淫"也是和郑声的"淫"同义,指的是过分的、过度的。从《论语》中我们看到孔子曾对当时社会上的音乐现象表达了自己的意见,他恼怒于"季氏八佾舞于庭"(《论语·八佾》),对代表周王身份的八佾之舞竟然在一个大夫的庭院中表演感到气愤。他看不惯齐国人送女乐给鲁国的季桓子,季桓子因女乐而三日不上朝,孔子一气之下离开鲁国。孔子十分看重西周的礼乐传统,希望保持敦厚中和的雅乐,他提出"放郑声",建议将其从雅乐中剔除出去。

孔子将扰乱雅乐秩序的音乐称为"郑声",虽然在音乐特点上,都指的是当时郑国和卫国一带的地方音乐,但他所说"郑声"的含义与后世人们所广泛使用的"郑卫之音"并不完全等同。"郑卫之音"一词是孔子之后出现的,统治者用于宴飨娱乐的"女乐"是"郑卫之音"与"郑声"在音乐内容上的不同。因此,在孔子的语境中,两者还是有所区分的。在他之后,其含义逐步扩大为可以包括一切民间音乐和官方认为不是所谓"古乐"或"雅乐"的音乐,也成为当时各诸侯纷纷发展起来的"新乐"的代名词。而"郑卫之音"的本来概念及其后来修辞意义的泛称,与"礼崩乐坏"发生的情况相类似。

以郑卫之音为首的新乐取代西周雅乐,从音乐发展的规律来说,是一种历史的必然。作为一种意识形态,音乐本身就有着两种社会职能:一是用以反映一定社会阶层的愿望、意志,进行宣传教育;一是给人以美的享受和娱乐。当统治者过分强调音乐的教育、伦理和政治职能,表面上把音乐神圣化了,实际上却把音乐等同于政治,无视音乐作为一门艺术的鲜活存在。相反,当时的新乐能够摆脱礼的束缚,比较自由、直接地反映人们的现实情感与生活,齐宣王称它为"世俗之乐",重视音乐的艺术性,在实践上充分体现出音乐的另一种社会职能,即以艺术性和娱乐性的一面展示其作为听觉艺术的功能。因此,以郑卫之音为代表的新乐取代日渐僵化的雅乐,无疑为音乐的时代发展注入新鲜血液,在历史上有着进步的意义。

秦汉时期的乐府机构

　　乐府是秦汉时期掌管音乐的官署。乐即音乐，府即官府，这是它的最初含义。1976 年 2 月，考古工作者在秦始皇陵封土西北侧发现一枚青铜钟，表面的铜锈经过清除以后，钟体上显露出精美的纹饰——细密清晰的错金银花纹。[①] 该钟通高 13.3 厘米，两铣间 7.2 厘米。特别之处是钟钮一侧刻有小篆字体的"乐府"二字，它向人们解开了一个历史之谜，那就是以前学术界认为汉代才有"乐府"这一音乐机构，实际上早在秦代便已出现。秦始皇陵乐府钟成为研究古代官署制度的珍贵文物，它的发现弥补了历史文献的不足，对于我们了解秦代音乐成就以及研究中国古代音乐史无疑有着重要意义。2000 年 4 月至 5 月间，中国社会科学院考古研究所在西安市郊秦代遗址中发现封泥 325 枚，其中有"乐府丞印"字样的封泥，这一发现也能够进一步肯定乐府机构的设立是秦王朝的功绩。

　　秦代音乐机构设有"太乐"和"乐府"两个部门，分别由太乐令和乐府令掌管雅乐和俗乐。[②] 秦代乐府汇集了当时各国的宫廷音乐，《史记·秦始皇本纪》载："秦每破诸侯，写放其宫室，作之咸阳北阪上……所得诸侯美人钟鼓，以充入之。"这则史料告诉我们，秦灭六国之后，将各国最优秀的歌舞人

---

　　① 秦乐府钟采用的是嵌错结合工艺，是在铸造好的钟体上用金银丝镶嵌成花纹，然后把器表磨光，使花纹清晰、线条鲜明。

　　② 王运熙《乐府诗论丛》以为，太乐掌雅乐而乐府掌俗乐的分立二署之说，是宋代以后雅、俗异流思想的反映，是用后代制度推论前事。

才和各国乐器汇集在咸阳。前代有发达的周代乐官制度作为借鉴,秦代统治者自然会建立起与中央集权的国家制度相匹配的音乐机构。

乐府钮钟（全局）　　　　　　乐府钮钟（局部,见"乐府"二字）

　　汉袭秦制,汉代的乐府沿袭着秦代的传统,西汉设有"太乐"和"乐府"二署,分掌雅乐和俗乐。《汉书·礼乐志》记载了汉武帝制定郊祀之礼以及在乐府采诗夜诵、创作歌赋的历史,学术界曾经由此认为"乐府"在汉武帝时期建立。当时的主要任务是采集民间歌谣,"赵、代、秦、楚之讴",规模大、范围广,将周代广泛搜集民歌的采诗之风加以发展。乐府还组织文人创作朝廷所用的歌诗,填写歌词、曲调,进行演唱、演奏。乐府机构在汉代民间音乐的收集、整理、创新等方面发挥了极其重要的作用。据史书记载,武帝时期,从皇帝宫廷的日常用乐到郊祀之礼,甚至连最隆重的宗庙祭祀之礼几乎都要用乐府音乐。乐府的兴盛促使汉代成为中国音乐史上民间音乐蓬勃发展的一个时期,当时雅乐和俗乐两者之间关系的实际状况是:俗乐不仅在社会上流行,而且宫廷雅乐中也大量使用俗乐。《汉书·礼乐志》记载汉武帝"常御及郊庙皆非雅乐",朝廷内外、官吏百姓都沉浸在民间音乐的洪流中。《汉书》中有多处记载,内有"掖庭材人(宫廷乐人)",外有"上林乐府","皆以郑声施于朝廷"的境况。汉高祖刘邦最喜爱的沛地民歌《大风歌》,也在汉代初年的宫廷雅乐中表演。

汉代乐府机构中拥有李延年、司马相如等全国一流的音乐家和文学家。李延年是汉乐府的领导人,因为杰出的音乐才能而受到汉武帝宠幸,当时被封为"协律都尉"。他不仅"性知音,善歌舞",而且还具有多方面的音乐才能。他唱歌十分出色,"延年善歌,每为新声变曲,闻者莫不感动",听到他歌声的人都会被感动。他的出身极其卑微,史书对于这样一位天才音乐家的身世略有记载,但对他于乐府机构的贡献评价甚少。《汉书·佞幸传》中有"李延年,中山人也,父母及身兄弟及女,皆故倡也。延年坐法腐,给事狗中"。李延年出生在一个音乐世家,家庭成员都是为皇帝服务的乐人,他早年受到残忍的腐刑而成为太监,管理皇帝所用的猎犬。后来汉武帝赏识他的音乐才华,让他负责创作祭祀天地的乐章,《史记·乐书》和《汉书·礼乐志》中都有他创作《郊祀歌》十九章的记载。李延年用大量的民间俗乐从事郊祀礼仪活动,所以《郊祀歌》的曲调已经不是先秦时期的雅乐,而是由"赵、代、秦、楚"等地的民间曲调改编而成。李延年还善于作曲,据说当年张骞出使西域带回《摩诃兜勒》一曲,他据此创作出《新声二十八解》。李延年用外来音乐为素材,改编出 28 首新颖的乐曲。学术界对张骞是否真的带回《摩诃兜勒》的问题存在争议。近代学者中较早撰文且比较有说服力的是文学家彭仲铎,他认为关于张骞出使西域的历史,与他同时代的史学家司马迁在其著作《史记》中有过详细记述,但未曾提到张骞得《摩诃兜勒》一曲的事情，更别说比司马迁晚很多年的历史记述了。不过，《晋书·乐志》中关于李延年用胡曲改编新声的记载也有其合理成分，这 28 首乐曲用于军中并受到欢迎，直到两百年之后的和帝时期，它们还是盛行在军中的乐曲。[①]

另一位乐府机构的代表人物是文学家司马相如。他善于弹奏古琴，其所用古琴名为"绿绮"。司马相如少时好读书、击剑，被汉景帝封为"武骑常侍"，后因不得志，称病辞官回到家乡四川临邛。有一次，他赴临邛大富豪卓王孙家宴饮。卓王孙有位女儿，名文君。因久仰相如文采，遂从屏风外窥视相如，司马相如受邀抚琴，弹奏一曲，以传爱慕之情，后来两人倾心相恋，携手私奔。据说卓文君与司马相如回成都之后，面对家徒四壁的境地，大大方方地在老家开酒肆，以卖酒为生，终于使得要面子的父亲妥协，成全了他们的爱情。据说后人以他们二人的爱情故事为题材，创作琴曲《凤求凰》流传至今。

作为一个宫廷音乐机构，乐府在汉代历经昭、宣、元、成四朝的发展，繁荣了一百多年时间，汉哀帝刘欣即位时，政治和经济均出现衰落之势，他的一些整顿社会、改革经济的政策首先和节俭费用、控制支出有关，"罢乐府"是其改革的步骤之一。因为庞大的机构让宫廷财政无力支撑，加之民间俗乐的兴盛不断冲击着汉哀帝复古崇雅的思想，从《汉书·礼乐志》记载的史料可知，公元前 6 年，汉哀帝撤销乐府机构，精简机构人员，乐府人员由兴盛时的 1000 多人到裁员后的 829 人。当时乐人的分工很细，比如有专门表演祭祀乐舞的

---

① 《晋书·乐志》："张博望入西域，传其法于西京，惟得《摩诃兜勒》一曲。李延年因胡曲更造新声二十八解，乘舆以为武乐。后汉以给边将，和帝时万人将军得用之。"

"郊祭乐员",负责出行仪仗的"骑吹鼓员",演奏南北各地民间音乐的邯郸、江南、巴渝等鼓员,演唱各地民歌的蔡讴员、齐讴员等,他们绝大部分是来自民间的经验丰富的艺人。被罢免的是负责民间音乐的乐工,留下的都是负责郊庙祭祀之乐和军乐的人员。作为民间音乐兴盛标志的汉代音乐官署——乐府从此退出历史舞台,但是汉哀帝处心积虑地罢黜乐府的行为,却未能阻止民间俗乐顺势发展的脚步。相反,世俗音乐的影响力进一步扩大,雅俗之间的界限更加模糊,在乐府里受过专业训练的乐人,又回到民间从事音乐活动,提高了各地民间俗乐的水平。

"感于哀乐,缘事而发",乐府中的音乐作品是来自于人们生活的真情实感,它道出的是一个时代的苦与乐、爱与恨,这也是为何乐府诗篇有着长久的生命力。宋代郭茂倩编撰的《乐府诗集》,把汉至唐的乐府诗搜集在一起,从音乐的角度将其分成十二类,分别是郊庙歌辞、燕射歌辞、鼓吹曲辞、横吹曲辞、相和歌辞、清商曲辞、舞曲歌辞、琴曲歌辞、杂曲歌辞、近代曲辞、杂歌谣辞、新乐府辞。

鼓吹乐起源于汉代北方边境地区,其来源据说与汉代初年一个叫班壹①的人有关,他在成为财力雄厚的富豪以后,便建立了自己的鼓吹乐队。我们今天可以从河南邓县南朝墓出土的彩色鼓吹画像砖看到鼓吹乐队的历史遗迹。这是两组乐队:一组是四人,两人吹角,两人击鼓;另一组是五人,一人吹横吹(笛),一人吹箫(排箫),两人吹角,一人吹笳。鼓吹乐的演奏起初常用鼓、角、箫(排箫)、笳等乐器,中间加入歌唱。它主要用于汉代军中、宫廷以及宴飨等场合,这种以打

---

① 《汉书·叙传》说:"始皇之末,班壹避地楼烦(今山西静乐县南),致马牛羊数千群。值汉初定,与民无禁,当孝惠(公元前194—前188年在位)、高后(吕雉,高祖刘邦妻,公元前187年—180年在位)时,以财雄边,出入弋猎,旌旗鼓吹。"

击乐器和吹奏乐器为主的音乐形式,后来成为中国音乐史上一个重要乐种。宋元以后,由于社会制度的变革和经济生活的变化,鼓吹乐在民间得以广泛发展。明清时期,经过职业、半职业的艺人以及寺院艺僧们的继承发扬,形成不同地区、不同风格的"鼓吹""吹打"等民间器乐合奏形式。现存琴歌《关山月》保存了古老的鼓角横吹曲风貌,它在近代《梅庵琴谱》①中是一首只有乐谱而没有歌词的古琴曲,《乐府诗集》把《关山月》列入"汉横吹曲"之中,其实是李白据汉代鼓吹古曲填词而成的一首作品。词曲结合自然,音乐苍凉古朴。据黄翔鹏先生考证,"这是一首经得起千古流传的、深具艺术感染力的古代军歌。从乐调上分析,也可说是汉唐清商乐的清调曲。此曲调在流传过程中多少会发生一些改变,因而可能损失掉某些古曲的原有风韵,但从其音乐与李白歌词相结合来说,至少它还保存着唐代所传'鼓角横吹曲'的风貌"②。

《乐府诗集》中有"相和歌辞"18卷,占全部乐府歌辞的四分之一,后来由于多数散失,现存34篇。相和歌是北方民歌经过艺术加工后的表演形式。起初,相和歌是不需伴唱和伴奏的"徒歌",它的进一步发展是有了唱和,称为"但歌",即一人唱,三人和的表演形式。相和歌所用乐器有笙、笛、琴、瑟、琵琶、筝和节等。节是鼓类乐器,即节鼓,"口非节不咏,手非节不拊"说明节对歌唱的重要性。1951年四川资阳县出土东汉抚节歌唱俑,跪坐,节鼓置膝前,左手抚节,右手握拳高举

---

① 《梅庵琴谱》的前身为《龙吟观琴谱》,是近代诸城琴派琴家王宾鲁先生未完成的遗作,后经其弟子徐立孙重新整改修订,并易其名为《梅庵琴谱》。该谱分上下两卷,于1931年出版。上卷为琴论,下卷为琴谱,有14首琴曲,即《关山月》《秋风词》《极乐吟》《凤求凰》《秋夜长》《玉楼春晓》《风雷引》《秋江夜泊》《长门怨》《平沙落雁》《释谈章》《挟仙游》《捣衣》和《搔首问天》。此琴谱在国内外古琴界有很大影响。

② 参见《黄翔鹏文存》(下卷),山东文艺出版社,2007年5月,第1065页。

过头，振臂作势而歌。

相和歌的最高发展形式是多段体的大型歌舞，称为"相和大曲"，是由器乐、声乐、舞蹈三者综合而成的表演形式，也是上古乐舞的继承和发展。相和大曲结构的丰富与成熟为我们展现出汉代歌舞伎乐的高水平。郭茂倩《乐府诗集》卷二十六"相和曲辞"的"解题"中说："又诸调曲皆有辞、有声，而大曲又有艳、有趋、有乱。……艳在曲之前，趋与乱在曲之后。"大曲一般由艳、曲、解、趋、乱几个部分构成，它们可以说是中国人在汉代表达乐曲结构的术语。"艳"是抒情的段落，在曲前，相当于前奏；"曲"是歌唱部分，是乐舞的主体；"解"是曲和曲之间器乐伴奏下的舞蹈，特点是快速、热烈、奔放；"趋"用于曲末，相当于尾声；"乱"是指全曲的高潮段落，以繁声促节为特点，一般出现在乐曲的结束处。

清商乐是在东晋南北朝间，承袭汉、魏相和诸曲，吸收当时民间音乐发展而成，亦名"清商曲"，后来隋唐时又称为"清乐"。相对于当时不断传入的西域音乐而言，它与汉代相和诸曲都是汉族的传统音乐，因此，在当时各种音乐形式中，被称为"华夏正声"。它是晋室南迁之后，旧有的相和歌和由南方民歌发展起来的"吴声""西曲"相结合的产物。清商乐的兴盛与东晋以后南方社会稳定，经济迅速发展有关。或者说，从相和歌到清商乐，经历了一个南北不同传统、不同风格的音乐逐渐融合的过程。北魏孝文帝时，南方的清商乐传到了北方，在宫廷中作为"华夏正声"受到重视。清商乐的重要组成部分主要是吴声和西曲，吴声原是建康（今江苏南京）一带的民间徒歌，西曲则是荆、郢、樊、邓地区（今湖北地区）的民间徒歌。两者的风格虽较柔婉抒情，但由于语言、风俗习惯等差异，各具不同的特色。现存吴声大都为晋、宋时所作歌词，载《宋书·乐志》《乐府诗集》等书，有《子夜歌》《华山畿》等十几曲。现存西曲大都为齐、梁时所作歌词，也载于《宋书·乐志》《乐府诗集》等书，有《莫愁乐》《乌夜啼》等 30 多曲。清商乐所用乐器有钟、磬、琴、瑟、击琴、琵琶、箜篌、筑、筝、节鼓、笙、笛、箫、篪、埙等 15 种。这种器乐、舞蹈、声乐综合而成的大型歌舞，为其后隋唐歌舞大曲的高度发展奠定了重要基础。

汉代初年，雅乐因为春秋战国时期的社会动乱，礼崩乐坏，已经难以寻觅其面貌，即使是制氏这样世代传授雅乐的家族都只能"但能纪其铿锵鼓舞，而不能言其意"（《汉书·礼乐志》），这些曾专门从事雅乐的乐工也只能敲敲打打，做点表面文章，却难懂其中的规律和意义，说明先秦雅乐到汉代已经严重失传。汉代统治阶层根据政治的需要而重新树立雅乐的地位，但这种"雅化"的音乐是建立在对民间俗乐加工整理的基础上，实际是披着民间俗乐外衣的雅颂之乐。同样的情况，在后来的唐末也发生过，作为恩主的庄园主不再畜养伎乐班子，那些曾在朝廷和王府生活的音乐家们纷纷流落民间。这充分说明音乐艺术的传承关系，是与社会的经济、政治生活密切相关的，非人力所能改。

作为一个以掌管俗乐为主的宫廷音乐机构，乐府的建立在客观上起到保存民间音乐的作用，促成汉代民间音乐的高度繁荣，对后世音乐机构的建制产生深远影响。乐府重视民间音乐的经验，永远值得后代借鉴与学习。乐府的含义后来进一步扩展，汉代之后，乐府歌诗渐渐脱离音乐而成为纯粹的乐府文学，于是人们把汉代乐府官署采制的歌谣，以及魏晋直至唐代可以入乐歌唱的诗歌、模仿乐府风格的作品，都统称为"乐府"。因此，在西汉哀帝罢黜乐府之后，它作为官署的意义仅是存名，但作为诗歌体裁的乐府却迎来发展和兴盛的时期，对后世的音乐和文学均产生了至关重要的影响。

唐代多种音乐机构及特色

　　一个时代音乐文化的繁荣表现在许多方面，其中音乐教育机构的建立和发展是重要的一环。中国古代的音乐机构，以周朝的"大司乐"，秦汉时期的"乐府"，唐代的"太常寺""教坊""梨园"最为著名，它们在中国音乐史上也成为"雅乐""俗乐""燕乐"三种不同音乐教育模式和观念的体现，或者说这些音乐机构是应不同时代音乐发展的需要而产生，它们反映的正是一个时代音乐表演和音乐教育的特色。

　　从历代音乐机构的建立和发展来看，唐代音乐机构的建设是全方位的，其乐工人数之多、分工之细、技艺之高，均属历代之冠，在教坊、梨园、大乐署、鼓吹署等音乐机构中诞生了一批批才华出众的音乐家。

　　太常寺是历代掌管礼乐的最高行政机关，其名称很早便存在，各代有所不同。如秦代称"奉常"，汉魏时期称"太常"，梁时加了"寺"字，后世因袭之。在唐代太常寺管辖的八个下属机构中，"大乐署"（或称"太乐署"）和"鼓吹署"是音乐机构。太常寺的高层管理人员称为"太常卿"和"太常少卿"，也是太常寺的领导者。而实际在太常寺负责具体音乐工作的官员是协律郎、太乐令、鼓吹令等，还有一些从事服务工作的低级官吏。武德、贞观年间精通音乐的张文收，龙朔年间深谙礼乐的裴庆远，还有通晓音律的大诗人韩愈、李贺等都曾担任过协律郎一职。在唐代有些协律郎不一定是凭借其音乐才能而任职的，有些是因为具备较高的文学修养而被委任。他们的职责有创作乐曲，如《唐会要》卷三十三《雅乐》

下,记载:"贞观十四年,有景云见,河水清。协律郎张文收,采古《朱雁》《天马》之义,制《景云河清歌》,名曰《宴乐》。奏之管弦,为诸乐之首。"①也有创制新辞或选词入乐的任务,这就需要既懂文学又有音乐才能的人来担任。

大乐署兼管雅乐和燕乐,既负责国家祭祀和重大宴飨活动的乐舞表演,而且还主管对于音乐艺人的训练和考核。大乐署的长官是太乐令,副职是太乐丞。如开元年间担任太乐令的刘贶、孙玄成,他们都十分精通音律,并且博通经史。著名诗人王维通晓音乐,善弹琵琶,他曾在开元年间担任过太乐丞一职。太常寺乐工人数众多,有的常年在太常寺任职,有的是轮番值班。大乐署非常注重对乐工在音乐技能方面的培养和训练,有着严格的考核制度和标准。《新唐书·百官志》中有具体的规定,在大乐署学习音乐,由专门的音声博士负责乐工的教习,每年进行一次考核,根据考核成绩评定上、中、下三个等级,上报礼部。学习时间一般为 10 年,可延长至 15 年。对于学习音乐有很高的要求和标准,所谓"得难曲五十以上任供奉者为业成",能够掌握 50 首以上高难度的乐曲才算完成了学业。可见"大乐署"的音乐教学活动组织十分严密,对从业人员的业务水平要求更是严格。鼓吹署,是卤簿②与军乐的官署。鼓吹署的长官是鼓吹令,副职是鼓吹丞,他们负责指挥和引导各种仪仗队。鼓吹署作为管理鼓吹乐的机构,担任仪仗中间的鼓吹乐和一部分宫廷礼仪活动,演奏的音乐以"鼓吹乐"为主,人员往往从京城周边府县的乐户中调集,轮流训练和值班。

太常寺的乐工来源比较复杂,由不同身份的人组成,有

① 王溥:《唐会要》,中华书局,1955 年,第 614 页。
② 卤簿是古代皇帝、皇后、太子、亲王等出巡时在其前后的仪仗队,规模约在数百人至千余人不等。

的被单独编定户籍,名为乐户,与良民的户籍是分列的。从《魏书·刑法志》记载可知,最晚在北魏,一些乐工开始由强盗、杀人、叛乱等罪犯的家人充任,北周和隋代都继承了这种乐籍制度。后来乐人的数量急剧增加,其中不乏优秀的音乐家,如隋代大音乐家万宝常,其身份即为乐户,他的父亲万大通有谋反之罪导致万宝常被配为乐户。这些在太常寺从事音乐活动的乐工,有些乐工因出身于官宦之家(多因叛乱、诬陷等政治斗争而被朝廷没收家产,妻子和子女被籍没)而受过不错的教育,甚至具备较高的文化素养。

　　"音声人"一词《在新唐书·礼乐志》的一段文献中出现了两次,"唐之盛时,凡乐人、音声人、太常杂户子弟隶太常及鼓吹署,皆番上,总号音声人,至数万人。"表明它一是作为太常寺音乐从业人员的泛称,包括乐人、音声人、太常杂户子弟等不同身份的乐工;二是指太常寺乐工的一种,其地位在乐户之上,平民之下。婚姻是太常音声人与乐户最大的区别,因为乐户必须与同为乐户的人结婚,而太常音声人可以跟百姓通婚,这也说明太常音声人比乐户的社会地位略高一些。法律这样规定的目的是为了维护等级制度,防止良贱混淆,避免本属贱民阶层的乐户通过婚姻提高社会地位。据《旧唐书·职官志》记载,乐户们定期轮流地到朝廷从事音乐活动,"核其名数,分番上下",类似到军队服兵役一样,乐户们每年到太常寺进行音乐活动的时间有长有短,有长役、一年三番、两年五番不等,根据身份的不同有着不同的分工。在太常乐工中,还有比例较小的一部分人因具备高超的技艺得到皇帝宠信,有丰厚的赏赐,所以在朝廷具有较高的地位。如善弹琵琶的贺怀智、善击羯鼓的李龟年等皆闻名于世,他们与唐玄宗的关系非同一般,是"皇帝梨园弟子"之杰出代表。太常寺的乐工除了按时服务于宫廷之外,还会在各种民俗活动和婚丧嫁娶中展现其音乐才能，服务于民间百姓，获得一定的经济报酬，以维持基本的生存。

《新唐书·礼乐志》："堂下立奏，谓之立部伎；堂上坐奏，谓之坐部伎。太常阅坐部，不可教者隶立部，又不可教者，乃习雅乐。"这则史料表明太常乐工的音乐技艺是有高低之分的，先从演奏坐部伎的乐工中筛出教不会的去学习立部伎，立部伎也学不会的，再去演奏雅乐。可见雅乐乐工的音乐水平是比较低的，这一现象在唐代诗人白居易《立部伎》一诗中也可以得到证实。"太常部伎有等级，堂上者坐堂下立。堂上坐部笙歌清，堂下立部鼓笛鸣。笙歌一声众侧耳，鼓笛万曲无人听。立部贱，坐部贵，坐部退为立部伎，击鼓吹笙和杂戏。立部又退何所任，始就乐悬操雅音。"[①]这也说明坐部伎的艺术水准要高于立部伎，而演奏立部伎的乐工又强于雅乐乐工。雅乐主要用于各种大小不同的礼仪活动中，尤其在高规格的祭祀活动中，从头至尾都伴随着音乐和舞蹈，在这样的场合下，对音乐性的要求远远不及满足人们娱乐和审美需求的燕乐，音调和风格或许人们并不喜欢，但因为其重要的政治意义却不得不加以重视。

太常寺是唐代的音乐中心之一，雅乐、胡乐、俗乐皆归其管理。开元二年（71）开始，唐代朝廷设立了"教坊"和"梨园"两个音乐机构，管理俗乐的职责便被教坊和梨园所代替。教坊乐工和梨园弟子在宫廷宴饮娱乐的歌舞音乐中占有极为重要的地位，很多乐工的技艺直接来自于太常寺的音乐学习。

教坊是唐代重要的音乐机构，分为内教坊和外教坊，外教坊一般称之为教坊，由设在西京（长安）的左、右教坊，东京

---

① 《全唐诗》，卷四二六，中华书局，1999年，第4703页。

（洛阳）的左、右教坊以及宜春院三部分组成。教坊是宫中训练、培养乐工的场所。女性乐工们不但要技艺高超，而且还要相貌出众。根据声色技艺的高低将教坊乐工分"内人"（有资格经常给皇帝表演，属于头等乐伎，是歌舞艺人中最出类拔萃的，享有优厚待遇，在宜春院内有专赐的宅邸）、"宫人"（教坊中的一般乐伎，其身份、地位低于"内人"）和"搊弹家"（出身平民，主要弹奏乐器或有时也表演简单歌舞的女艺人）三类。有一则史料可以表明她们资质和技艺的高低："宜春院女，教一日便堪上场，为搊弹家弥月不成。至戏日，上令宜春院人为首尾，搊弹家在行间，令学其举手也。"①左、右教坊各有不同的专业分工，"右多善歌，左多工舞"，文献记载唐代全盛时期教坊将近 2000 人。教坊汇聚了歌舞人才的精华，唐代人崔令钦撰写的《教坊记》记述了开元年间许多有关教坊的制度和秘闻轶事。

教坊与梨园的主要区别在于：前者以演歌舞为主，后者以习奏乐曲为主。梨园原本是禁苑的一处果园，皇帝经常在此游乐，于是便在此建立起一个名为梨园别教院的音乐机构，主要是为皇帝宴享娱乐服务。后来唐玄宗为了更加方便地进行歌舞娱乐活动，亲自设立梨园。"开元二年（714 年），上以天下无事，听政之暇，于梨园自教法曲，必尽其妙。"梨园是专习法曲、专门从事器乐表演的场所。"玄宗既知音律，又酷爱法曲，选坐部伎子弟三百，教于梨园。"热爱音乐的唐玄宗在听政的闲暇，教 300 名乐工练习法曲，亲自组织排练。他是一位有着灵敏听觉的优秀指挥者，《旧唐书·音乐志》中记载数百人的乐队一起演奏，唐玄宗能从中听出其中一人的

---

① 《中国古典戏曲论著集成》（第一册）之《教坊记》，中国戏剧出版社，1959 年 7 月，第 11 页。

错误,其音乐才华确实非同一般。唐玄宗也是一位有前瞻眼光的音乐教育家,为从小培养乐工、乐伎们的音乐素养与技艺,他在梨园法部专设了一个"少儿班"——"小部音声"。《杨太真外传》记载:"小部者,梨园法部所置,凡三十人,皆十五以下。"小部音声,是一种小型乐队,约 30 余人,乐工均为15 岁以下。这种对于少年儿童进行早期启蒙音乐教育的尝试,反映出作为一代君王的唐玄宗对音乐发展的远见卓识,也为唐代音乐歌舞艺术的持续发展提供了必备的人才基础。

梨园培养造就了一大批具有较高水平的音乐家,如李龟年、雷海青、黄旛绰、永新等皆为梨园乐工,他们作为唐代乐工群体的优秀代表为唐代音乐的高度兴盛发挥了重要作用。梨园中的乐工因玄宗亲任教练指挥,故有"皇帝梨园弟子"之称谓。这对于后世有深远的历史影响。元明以后,戏班沿用此名"梨园",艺人们尊崇唐玄宗为祖师,甚至以塑像供奉,演出前上香祈祷,保佑演出顺利卖座。从梨园设立到"安史之乱"之前,这一时期是梨园最为兴盛的阶段,"安史之乱"给唐代音乐机构造成极大的冲击,很多梨园弟子在战乱中四处逃亡,散落民间。唐代官员姚汝能有《安禄山事迹》一书留世,书中记载了一则梨园乐工雷海青宁死不为叛军奏乐的悲壮故事。安禄山以珍稀珠宝为诱饵,让掠掳来的几十名乐官为他奏乐。这些梨园弟子们不愿为叛军演奏,相对而泣。叛贼持刀威胁乐官,乐工雷海青高举琵琶,奋力一摔,面向西方,放声恸哭。于是安禄山大怒,下令将雷海清肢解示众。在叛军面前,他显出一名梨园乐工的铮铮铁骨和高贵气节。相传雷海青是福建莆田人,这位精于琵琶,能歌善舞,为唐代尽忠而死的乐工被后世的人们奉为戏神。

自秦始皇称帝起,中国历史上共有四百多位帝王,他们之中有才思俊杰之人,有杰出治国才能之人,还有在文学艺术上造诣颇深的画家、诗人、音乐家。如宋徽宗赵佶的书画、五代南唐君主李煜的诗词,都成为一个时代的经典之作,而以音乐家闻名于世的皇帝则要首推唐玄宗李隆基。李隆基是唐睿宗的第三子,其在位的前期曾励精图治,创开元盛世,后期则沉湎于声色之乐,朝政腐败,民怨沸腾,终酿"安史之乱",从此唐朝国势由极盛的顶峰走向颓势。因此李隆基在治国方面是毁誉参半的帝王,但他在音乐方面的才华却是历代皇帝中的佼佼者,可以说盛唐音乐艺术的高度发达,与这位执政 44 年之久的皇帝有着直接的关系。从某种程度上说,李隆基是唐代音乐的缔造者和设计师,他对音乐的爱好给唐代音乐的发展营造了一个良好的氛围和自由的空间,无论在音乐创作、音乐表演,还是对于宫廷音乐机构的建立、音乐艺人的培养等方面,他所作的贡献是中国历史上任何一位皇帝都无法比拟的。

李隆基从小酷爱音乐,自幼接受过严格的音乐教育,16岁时曾在祖母武则天面前表演了唐代著名的歌舞大曲《长命女》。唐代诗人杨巨源《李谟吹笛记》中记录了一个有趣的故事,足以表明唐玄宗对音乐的痴迷到了何等程度。有一天玄宗上朝时,手指不停地在腹部上下按动。退朝后,高力士便问道:"陛下总是用手指按腹部,莫非身体有所不适?"玄宗答道:"不是。我昨夜梦游月宫,众仙为我演奏的音乐美妙无比,不是在人间能够听到的。音乐凄楚动人,隐隐在耳边。回来以后,我用玉笛吹奏,尽得所听之乐。坐朝的时候唯恐忘记,便把玉笛装在怀里,用手上下按寻,并非身体有何不安。"在朝臣奏议国家大事之际,皇帝竟然"心不在焉",真不愧为超级乐迷。唐玄宗是一位多才多艺的音乐家,他擅长创作、改编乐曲,并且精于笛和羯鼓等乐器的演奏,他的音乐活动涉及创作、演奏、指挥、理论等多个领域。在众多乐器中尤其偏爱羯鼓[①]，据说练习时敲坏的羯鼓槌就有四大柜，他称羯鼓是"八音之领袖"，认为各种乐器都不能与它相比，其演奏技巧十分高超，宰相宋璟在诗中形容玄宗演奏羯鼓"头如青山峰，手如白雨点"。唐代羯鼓名手南卓在《羯鼓录》中记载，唐玄宗是一位天才的音乐家，创作乐曲，随手而成。演奏乐器，均在节拍。至于音高、调式的变换即使是古代的音乐家夔和师旷都比不过他。他还把原为音译而来的少数民族和外国乐曲之名改为汉文曲名，传说唐代许多著名音乐作品都出自他之手，如《霓裳羽衣曲》《紫云回》《龙池乐》《小破阵乐》《凌波仙》等都是时代佳作，其中以《霓裳羽衣曲》最为著名，代表着我国古代歌舞音乐的最高水平，已成为流传千古的佳作。正是由于这位帝王对音乐的喜爱和重视，在各民族音乐文化大融合时代背景下，盛唐音乐发展到了历史的顶峰。

中国音乐制度源远流长，自周代制礼作乐，成立第一个系统的宫廷礼乐机构开始，经历了秦汉时期乐府的建立和发展，魏晋至隋唐的礼乐机关太常寺的高度繁荣，以及唐、宋以后不间断发展和变化的教坊。每一历史时期的音乐机构均呈现出不同的时代特色，比如宋代宫廷音乐机构分为教坊、太常寺、大晟府、钧容直、云韶部和仙韶院。钧容直是禁军所属的音乐机构，云韶部和仙韶院仅服务于宫廷内部，云韶部由宦官管理，仙韶院则是管理宫廷女乐的机构。教坊作为重要的宫廷俗乐机构肇始于唐代，经过宋、元、明三朝，至清代乾隆时期废止。这些集行政、教育、表演等多种职能于一体的历代音乐机构，在音乐制度的制定与实施、音乐家的培养、音乐作品的创作与演出、音乐文化的传播等方面发挥了巨大的作用。

---

① 羯鼓是一种出自于西域的乐器，腰部细，用公羊皮做鼓皮，因此取名为羯鼓。羯鼓的声音急促、激烈、响亮，尤其适用于演奏急快节奏的曲目。

原典选读

1. 十有三年,学乐诵《诗》,舞《勺》。① 成童,舞《象》,学射御。② 二十而冠,始学礼,可以衣裘帛,舞《大夏》。③

——《礼记正义·内则》

2. 孔子谓"季氏八佾舞于庭,是可忍也孰不可忍也"④。

——《论语·八佾》

3. 至武帝定郊祀之礼,祠太一于甘泉,就乾位也。祭后土于汾阴,泽中方丘也。⑤ 乃立乐府,采诗夜诵,有赵、代、秦、楚之讴。以李延年为协律都尉,多举司马相如等数十人造为诗赋,略论律吕,以合八音之调,作十九章之歌。⑥

——《汉书·礼乐志》

4. 相和,汉旧歌也。丝竹更相和,执节者歌。⑦ 本一部,魏明帝分为二,更递夜宿。本十七曲,朱生、宋识、列和等复合之为十三曲。⑧

——《宋书·乐志》

---

① 十三岁时,学习音乐,诵读诗篇,学《勺》舞。

② 十五岁时,学《象》舞,学习射箭防御术。

③ 二十岁举行冠礼,始学礼,可以穿皮和帛制的衣服,学《大夏》舞。

④ 孔子说:"季氏在自己的庭院中享受六十四人的奏乐舞蹈,这样的事情也能够容忍,还有什么事情不能够容忍呢?"

⑤ 到了汉武帝时期,制定了郊庙祭祀的礼制,在甘泉祭祀太一,选择的是京都西北的乾位。在汾阴祭祀后土,选择的是水洼中的方形丘地。

⑥ 于是设立乐府机构,搜集诗歌夜晚唱诵,有赵国、代国、秦国、楚国等地的歌曲。任命李延年为协律都尉,多次举荐司马相如等几十人创作诗赋,讨论律吕,用来与八类乐器合乐,创作出十九首歌曲。

⑦ 相和,是汉代旧曲,在弹弦乐器和吹管乐器的交替伴奏下,由歌者击节而唱。

⑧ 最初只是一部,魏明帝时分为两部,轮流在夜晚值班演唱。相和歌本来有十七首曲子,朱生、宋识、列和等人又将它整合成十三首。

5. 又诸调曲皆有辞、有声,而大曲又有艳、有趋、有乱。① 辞者其歌诗也,声者若羊吾夷伊那何之类也。② 艳在曲之前,趋与乱在曲之后,亦犹吴声、西曲,前有和,后有送也。③

——《乐府诗集》卷 26

6. 汉兴,乐家有制氏,以雅乐声律世世在大乐官,但能纪其铿锵鼓舞,而不能言其义。④ 高祖时,叔孙通因秦乐人制宗庙乐。⑤

——《汉书·礼乐志》

7. 凡习乐,立师以教,而岁考其师之课业为三等,以上礼部。⑥ 十年大校,未成,则五年而校,以番上下⑦……博士教之,功多者为上第,功少者为中第,不勤者为下第,礼部覆之。十五年有五上考、七中考者,授散官,直本司,年满考少者,不叙。⑧

——《新唐书·百官志》

8. 玄宗又于听政之暇,教太常乐工子弟三百人为丝竹之戏,音响齐发,有一声误,玄宗必觉而正之。⑨ 号为皇帝弟子,

---

① 所有歌曲都是有辞,有声,而大曲又有艳,有趋,有乱。
② 歌辞是以歌唱诵诗,而歌声好像羊羊伊伊那何的调调。
③ 艳在大曲的前面,趋与乱在大曲的后面,就像吴声、西曲,前面有和,结尾处用送的形式一样。
④ 汉代兴起后,有擅长音乐的制氏家族,凭借在雅乐声律上的建树,世世代代在乐府为官,但他们也只能记录以前雅乐的节奏与形式,而无法说清它的意义。
⑤ 汉高祖年间,叔孙通用秦代乐人制定了宗庙礼乐。
⑥ 凡是要学音乐的,都有专门乐师担任教学。每年根据学生的考试成绩来考核乐师的授课水平分,将其分为三个等级,上报礼部。
⑦ 十年有一次大考,没有通过的,可延期五年再考,通过考试来决定老师是升职还是降职。
⑧ 由技艺高超的博士乐师来教授,用功多的为上等,用功少的为中等,那些散漫不用功的为下等,由礼部来审查。十五年中有五次上考,七次中考者,授予散官职位,执本司之职,年满但考试少的人,则不被写入史册加以记叙。
⑨ 玄宗又在听政闲暇之时,教太常寺乐工三百人排练丝竹之乐,音响一齐发出时,有一声错误的音,玄宗都能听出来,并令加以改正。

又云梨园弟子,以置院近于禁苑之梨园。①

——《旧唐书·音乐志》

9. 上洞晓音律,由之天纵,凡是丝管,必造其妙。② 若制作诸曲,随意即成。不立章度,取适短长。应指散声,皆中点拍。③ 至于清浊变转,律吕呼召,君臣事物,迭相制使。④ 虽古之夔、旷,不能过也。⑤ 尤爱羯鼓、玉笛,常云八音之领袖,诸乐不可为比。⑥

——《羯鼓录》

---

① 这些乐工被称为皇帝的弟子,又被叫作梨园弟子,是因练习的院子挨着禁苑梨园而得名。

② 玄宗皇帝通晓音律,犹如上天赐予他的才气一样,只要是丝竹管弦,他都能演奏出美妙的声音。

③ 他制作曲调时,不拘一格,长短变化都恰到好处,演奏乐器,均在节拍。

④ 至于音色明暗的转变,律吕音高的呼应,君臣的尊卑事物,都能自如地迭相使用。

⑤ 即使是古代的夔和师旷这样的音乐大师,也都比不过他。

⑥ 他尤其喜欢羯鼓和玉笛,经常说这是各种乐器的领袖,是其他乐器不能相比的。

乐器与器乐

　　一个民族和国家的音乐形式和作品风格，既有顽强的生命力，同时又会伴随着社会的发展变革而悄然演变。研究音乐绝非只关注音符本身，一件乐器、一种音乐形式的表象背后有深层的历史背景和文化内涵。中原民族很早进入定居的农业社会，相对平静的生活状态使上古时期的人们选择了体态庞大、不便移动，展现雄浑、庄严风格的钟磬之乐。随着西域音乐的东渐，携带轻便、发音响亮的西域乐器受到人们的喜爱。溯流探源，当代民族乐队中很多代表性的乐器，如琵琶、管子等，当年都来自西域诸国。其实现在中国的民族乐器，除了钟、磬、琴、筝、笙、排箫、阮咸等"华夏旧器"之外，其余则多为历史上传入的"外来乐器"，如东晋十六国时传入的曲项琵琶、筚篥、箜篌，唐末时的奚琴，金元时传入的唢呐，明末清初传入的扬琴等。在漫长的历史岁月中，它们有的被保留，有的被淘汰，逐渐形成今天中国民族乐器多元化的面貌。

先秦:金石之乐的巅峰

　　据学者们统计,先秦时期的乐器见于文献记载的已有 70 种左右,《诗经》一书明确提及的有 29 种。从今天民族乐器的分类方式来看当时的器乐艺术,包括钟、磬、鼓、钲、铃等打击乐器;排箫、管、埙、笙等吹奏乐器;琴、瑟、筝、箜等弹弦乐器以及以筑为代表的擦弦乐器(后世拉弦乐器的祖先)。其中编钟、编磬以及各种形制的大鼓、小鼓所构成的金石之声和钟鼓之乐,以其宏亮的声响、悦耳的音色和磅礴的气势表现出先秦时期音乐文明的发展水平与审美观念。除此之外,当时还有一些色彩性乐器,如演奏时用木棒左右敲击的柷和用木长尺刮奏的敔。所有这些乐器在周代都有一种乐器分类法统领,那就是"八音"。它是一种根据乐器制作材料的不同属性而界定的广义分类法,也是目前文献所知国际上较早出现的一种乐器分类法。古人用八种不同的材料来区别乐器,应该与工匠的社会分工有关系。"八音"从周代一直沿用至清末,直到 20 世纪初西方乐器大量传入中国之时才逐渐销声匿迹,时间跨越两千多年,在世界音乐史上实属罕见。八音及其代表乐器有金类(如钟、编钟、镛、镈、钲、铙);石类(如磬、编磬);土类(如埙、缶);革类(如鼓、县鼓、鼗鼓、鼛);丝类(如琴、瑟、筝、筑);木类(如柷、敔);匏类(如笙、巢、和);竹类(如箫、篪、籥)八种。

《国语·周语下》有"单穆公谏景王铸大钟"一段文献:"夫政象乐,乐从和,和从平。声以和乐,律以平声。金石以动之,丝竹以行之,诗以道之,歌以咏之,匏以宣之,瓦以赞之,革木以节之……"其中"金石以动之,丝竹以行之"是周代人总结出的当时钟磬乐队的演奏形态,即金石之乐与丝竹之乐相配合,以钟磬为主的金石之乐演奏骨干音并突显节奏,以琴、瑟、排箫、篪为主的丝竹乐用来演奏旋律。这种乐队风格的确立与周代人礼乐相谐的观念相符,当时的雅乐主要用于宗庙祭祀、朝会宴飨之场所,其音乐不是以娱人的声响为目的,而是用兼具礼器或法器功能的这些乐器来表现周代人对于祖先、神灵、宇宙的敬畏,用乐来弘扬礼的精神与规范。

下面将八音中的代表乐器作以介绍,因篇幅所限,详略不同。

金类指青铜类的乐器,有钟、铙、镈、镛、钲、铎等。青铜是铜、锡、铅等金属材料按照一定比例铸成的合金,用这种材质制作的乐器发音响亮而传音悠远、外观宏大而有气势。青铜乐器显示着拥有者的身份和地位,钟在周代不仅是乐器,还是象征地位和权力的重器。王公贵族在朝会、祭祀等各种典礼和宴飨中,广泛使用着钟乐。迄今为止,先秦编钟在全国不少地方陆续发现,出土数量已相当可观。

中国上古时期编钟的外形有一个重要的特点，即均似两个瓦片合在一起，这种扁圆的体型是决定编钟发音奥秘之所在。正是这种扁圆的合瓦体形制，决定了中国乐钟具有独特的"一钟双音"功能。在钟的正面受击部位和两侧受击部位都可以发出乐音，正、侧二音为三度音程关系（小三度或大三度）。就发音原理而言，扁圆的振动体敲击后余音较短，更适合演奏旋律，不至于前音未消后音又起，混成一片。对于这个发音特点，宋代科学家沈括在《梦溪笔谈·补笔谈》中记载古人制作乐钟有着特殊的声学设计，外型扁圆，与后代人所做圆钟不同。正圆形钟体敲击后余音很长，前音与后音音波之间相互干扰。也就是说，圆钟振动后衰减很慢，在演奏中快速敲击时，声波容易相互干扰而音律不清；扁钟振动后衰减较快，演奏时可避免声波相互干扰。在中国青铜器发展历史上，商代还处于金石并用的时代，这时的青铜器表现出一种粗犷之美，并不擅长于精巧和细致的工艺。西周至战国时期是青铜铸造艺术的巅峰时期，编钟作为青铜器物的重要代表，钟的口径宽窄、钟壁的尺寸厚薄等内部结构设计巧妙合理，外观生动华丽、制作技艺精湛绝伦。周代的青铜编钟将礼器的象征意义和乐器的审美性与实用性合而为一，它们身上体现着中国古代匠师们巧夺天工的创造力。

石类以石质的磬为代表，编磬是由大小规则不一的石片编列而成。由最早作为打击乐器的单个磬，发展为后来可以演奏旋律的成组编磬。石器曾经是远古社会最主要的生产工具，作为乐器其发音清脆，演奏时与音色浑厚的编钟相得益彰，"金石之声""金声玉振"是对这种古老乐器演奏组合及音响效果的生动描述。

磬的外形如曲尺，悬挂起来敲击。早期的磬像一些不规则的三角形，后来逐渐发展为略向内凹的凸五边形，周代人总结出一套标准的制作方法，如见于《周礼·冬官·考工记·磬氏》的记载："磬氏为磬。倨句一矩有半。其博为一，股为二，鼓为三。叁分其股博，去其一以为鼓博；叁分其鼓博，以其一为之厚。以上则摩其旁，以下则摩其端。"这一段文字十分精练地描述了制作石磬的方法及各部分的比例原则。首先是磬体最上方曲折的角度，即倨句，一矩有半，是说这个角度为一个直角（矩）再加这个直角的一半，为 135 度。其次是磬体各部位长度的比例。磬较宽而短的一端称为"股"，较窄而长的一端称为"鼓"，"博"指的是磬体两端的宽度，"厚"则为石磬的厚度。其比例如下：股博＝1（"博为一"），股长＝2（"股为二"），鼓长＝3（"鼓为三"），鼓博＝1×2/3＝2/3≈0.67（"叁分其股博，去其一以为鼓博"），厚＝2/3×1/3≈0.22（"叁分其鼓博，以其一为之厚"）。依据此比例制作出来的磬是有棱有角的凸五边形，它悬挂的时候由于鼓部长而窄，股部短而宽，自然造成磬的鼓部下垂的形态，这也是我们从典籍中经常看到的磬的标准形制。这段文字的最后总结出磬调音的原则，"以上则摩其旁，以下则摩其端"，是制作磬的最终工序，前面所说的尺寸比例都留有磨锉的余地以用来调音，如果发音偏高，要磨磬体的两旁；反之，如果发音偏低，就要磨磬体的下面端部。

土类指用陶土烧成的乐器，如埙、缶等。埙有石制、陶制、骨制、玉制、木制等多种，因以陶制最为普遍，又称"陶埙"。埙的顶端均有一个吹孔，形制有橄榄形、鱼形、圆锥形等多种。埙体的上端为一个吹孔，埙体上的按音孔由最早的一孔逐渐增多，发音从最早吹奏单音到小三度，再到四声、五声、六声、七声音阶。例如在甘肃玉门火烧沟文化遗址的墓葬中，发现了夏代的彩陶埙，共出土 20 余件。这些埙的外形均呈扁平的圆鱼状，埙体上面多饰以网纹或条纹彩绘，一般悬挂于男性墓主人的颈部。鱼嘴为吹孔,埙体上有三个按音孔。至商代,埙的外观基本定型,以五音孔居多,形制由早期的多种多样到逐渐确定为下平上尖的梨形。如河南辉县琉璃阁殷墓出土的三个一组的埙,一大两小。埙在上古时期是一种在黄河流域和长江流域都广泛使用的乐器。《诗经》中经常把埙与竹类乐器篪放在一起描述,两者虽然在形制上差异很大,又分属于八音中两类不同的乐器,但因为埙与篪合奏声音和谐,同属于中低音的吹奏乐器,古人常以此来比喻兄弟感情的和睦,《诗经·小雅》中有"伯氏吹埙,仲氏吹篪"之诗句。

缶原本是古代一种陶器,类似瓦罐,形状很像一个小缸或钵,是古代盛水或酒的器皿。圆腹,有盖,肩上有环耳,也有的外形为四方形。秦国宰相李斯在《谏逐客书》中描述秦国的音乐面貌时提到"击瓮叩缶",著名的"击缶"典故出自《史记·廉颇蔺相如列传》,"秦王饮酒酣,曰'寡人窃闻赵王好音,请奏瑟。'赵王鼓瑟,秦御史前书曰:'某年月日,秦王与赵王会饮,令赵王鼓瑟。'蔺相如前曰:'赵王窃闻秦王善为秦声,请奉盆缶秦王,以相娱乐。'秦王怒,不许。于是相如前进缶,因跪请秦王,秦王不肯击缶。相如曰:'五步之内,相如请得以颈血溅大王矣!'左右欲刃相如,相如张目叱之,左右皆靡。……于是秦王不怿,为一击缶;相如顾召赵御史书曰:'某年月日,秦王为赵王击缶。'"这个故事是说,秦王强迫赵王为其弹瑟,并命史官记录下来以辱赵王,蔺相如遂以血溅五步逼秦王击缶,使秦王的身份更降一级,以回击赵王鼓瑟之辱。由此也得知缶在古代是社会阶级较为下层的人们娱乐所敲击的乐器。最原始的陶制缶由于易碎,很难保存下来,至今留存较多的都是青铜缶。2008 年 8 月 8 日晚第 29届北京奥运会开幕式上,一首气势恢弘、精美绝伦的《击缶而歌》表演奏响了开幕式的序曲。2008 名演员击缶而歌,吟诵着"有朋自远方来,不亦乐乎",表达对世界各地奥运健儿和国际友人的热烈欢迎。不过,奥运会开幕式上运用的"缶"与古代乐器"缶"的原貌有很大差别。开幕式缶阵之"缶",其形制源于 1978 年湖北随县(今随州市)曾侯乙墓中出土的铜鉴缶,它属于青铜制品,其功能是酒具而非乐器。

　　革类是指蒙着动物皮革的各种鼓。作为节奏乐器的鼓,是原始社会最早产生的乐器之一。在原始社会,击鼓可能是氏族部落传递某种信号或者震慑、驱赶野兽而用。由于那时鼓框的制作材料大多为陶制或木制,鼓膜由动物皮蒙面,因此很难保存下来。文献中有不少"鼍鼓"的记载,是指用鳄鱼皮蒙在鼓框上,敲击演奏的鼓,如山西省襄汾县陶寺遗址出土的鼍鼓。《诗经》中提到的鼓有鞉鼓、贲鼓、鼍鼓等多种不同的大小和形制。因此,钟鼓之乐的使用在先秦时期十分广泛。《诗经》中有大量的诗句,比如"窈窕淑女,钟鼓乐之"(《诗经·周南·关雎》);"钟鼓既设,一朝飨之。……钟鼓既设,一朝右之。……钟鼓既设,一朝酬之"(《诗经·小雅·彤弓》);"鼓钟将将,淮水汤汤。……鼓钟喈喈,淮水湝湝。……鼓钟伐鼛,淮有三洲。……鼓钟钦钦,鼓瑟鼓琴"(《诗经·小雅·鼓钟》);"鼓钟于宫,声闻于外"(《诗经·小雅·白华》);"鼓钟喤喤,管磬将将"(《诗经·周颂·执竞》)。其中"鼓"一字的含义不仅指一种打击乐器的名字,它还经常作为动词出现,意为"弹奏",我国古代钟、磬等打击乐器的受击部位称作"鼓部",我们还把钟的两个受击部位分别称为正鼓部、侧鼓部。

　　丝类乐器分为弹弦和拉弦两类,弹弦类有琴、瑟、筝,拉弦类有筑,都是指琴面张着丝制琴弦的乐器。中国是世界上最早养蚕造丝的国家,丝类乐器也是中国最具代表性的传统乐器。《诗经》中常出现琴、瑟和鸣的诗句,如"琴瑟友之""鼓瑟鼓琴",后人把二者演奏时和谐之声比喻成夫妻感情的融洽。

筑曾是一件具有很强感染力的古老弦乐器,后来在历史长河中失去发展的动力而逐渐失传。从出土实物和文献记载相结合来看,其琴身张五弦,一弦一柱(即琴的码子)。整体形制狭长,项部尤细,演奏时其身向前斜放在地上,左手托持之(类似大提琴的演奏姿势,但左手却与大提琴握姿相反,是托持筑项),筑身斜置,筑尾着地,右手握细竹棒擦弦。战国时期燕国的高渐离是文献记载中最早的击筑能手,用现代语境介绍是"著名筑演奏家"。《史记·刺客列传》中生动地记载了高渐离在易水河畔击筑为荆轲送行的故事,壮士荆轲受燕国太子丹之命刺杀秦王,高渐离为其好友荆轲击筑送行,荆轲在易水之滨拜别了太子丹及诸位友人,临行时慷慨悲歌:"风萧萧兮易水寒,壮士一去兮不复还。"歌唱极具感染力,所听之人都感到异常悲壮,"士皆瞋目,发尽上指冠"。近些年来随着筑的实物和图像的不断发现,学术界对于它的研究也取得了重要成果。如冯洁轩先生对中国弓弦乐器的源流演变及发展进行深入研究,认为"筑"是我国最早出现的拉弦乐器。[①] 先秦时期筑的演奏方式是用棒击弦[②],这类乐器在宋代经过用竹片轧弦[③]的阶段,再到近古时期发展为用马尾做成弓子拉弦。他们的研究将我国弓弦乐器的历史提前了

---

① 冯洁轩:《中国最早的拉弦乐器"筑"考》,《音乐研究》2000 年第 1、2 期。

② 这里所说的"击"是指一种不同于拨弦和打弦的擦弦演奏方式,即今天所说的拉弦演奏。

③ 《旧唐书·音乐二》记载的"轧筝"和北宋陈旸《乐书》记载的"奚琴"被认为是中国拉弦类乐器的前身,那时还未出现以马尾为弓弦来演奏的方式,依然是"以片竹润其端而轧之"或"两弦间以竹片轧之","轧"字所指的是以竹片为器具的擦弦演奏方式。

至少 800 年的时间。1993 年,湖南长沙西汉早期墓室出土的三件五弦筑,是首次发现的筑的实用器。

木类乐器是周代八音中的色彩性乐器,主要有柷和敔,二者用于周代雅乐的演奏中。柷,其形状如木升,上宽下窄,演奏时用木棒左右撞击,表示乐队奏乐开始。敔,其形状如伏虎,背上有 27 片薄板,演奏时用竹制用具刮奏,表示乐曲的终结。

匏类是类似葫芦的草本植物,匏类乐器是指笙、竽一类的乐器。作为中国最早可以吹奏和声的古老乐器,笙的历史可以追溯到 3000 多年前,《尔雅》记载:"大笙谓之巢,小笙谓之和。"《诗经》中有:"我有嘉宾,鼓瑟吹笙""鼓瑟鼓琴,笙磬同音"的记载。据说春秋战国时期的笙已经非常流行,它与竽并存,在当时不仅是为声乐伴奏的主要乐器,而且也有合奏、独奏的形式。《韩非子·内储说》中记载有"滥竽充数"的故事。湖北随县(今随州市)曾侯乙墓出土六件笙,距今 2400 多年,其笙斗保存完好,在笙斗内发现有四个残存的簧片,这些笙及残存的簧片是目前已知年代最早的实物。

竹类是指箫、管、篪一类竹制的吹奏乐器,其中"箫"指排箫。排箫是世界上最为古老而原始的乐器之一,欧洲人称排箫为 Panpipe,名称来源于古希腊神话传说中的牧神——Pan。排箫是把长短不等的竹管按长短顺序排成一列,用绳子、竹篾片编起来吹奏。我国古代排箫的称谓很多,有"比竹""凤翼""籁"等别称,但并不写作"排箫"之名,只命之为"箫"。排箫的箫管作参差状,因此也有"参差"之名,如《九歌·湘君》中"望夫君兮未来,吹参差兮谁思。"篪是中国古老的横吹竹管乐器,两端封闭,外形与笛相近,但发音原理有异,其吹孔与按音孔不在一个平面上,因此吹奏方法也各不相同。

　　2400 多年前一位痴迷音乐的诸侯国君驾鹤西去,其生前极尽奢华的宴飨场面与翩翩乐舞的情景被其后人原样照搬,和主人的棺椁与陪葬乐人一起放入精心设计的大墓中。这座战国时期南方的王侯墓为我们揭开了先秦钟磬乐的神秘面纱,成为现代学者研究钟磬乐队及其形态特征最为重要的考古资料。1978 年,湖北随县(今随州市)曾侯乙墓乐器出土,这座地下音乐宝库为我们提供了春秋战国时期宫廷礼乐制度的模式,墓中的多种乐器、礼器及其纹饰和铭文展现出地处长江流域的楚文化所具有的独特传统和鲜明地方特色。该墓共出土青铜乐器、礼器、兵马器、金器、玉器、漆木器等共15000 多件文物,这些丰富而珍贵的物品集中体现了战国早期人们的音乐生活、物质生活以及精神世界。

　　曾侯乙墓位于今天湖北省随州市西北城郊的擂鼓墩,曾即曾国,学界认为曾国就是《左传》中提到的随国。曾国作为和周天子同姓的姬姓诸侯国,是西周分封于江汉一带的封地之一。它和楚国相邻,后来在诸侯的扩张和兼并中成为楚国的附庸,政体和文化逐渐在历史记载中消失,成为一个"失踪"的小国。"乙"即墓主人的名字,姓姬名乙。这是一座呈不规则多边形的大型墓葬,总面积 220 平方米,墓椁分为东、西、北、中四室。曾侯乙的主棺位于东室的正中,有八个女性陪葬棺、一个狗棺和一些琴、瑟等以丝竹为主的乐器。著名的钟磬乐队出土于中室,有大量食器、酒器、水器等实用的青铜器,成组成套、排列有序,如此完整的陈放显然是根据墓主人生前宴饮娱乐的场景而安排。中室的这个乐队由呈"L"形的两面编钟、一面编磬以及鼓、笙、排箫、篪等乐器组成,曾侯乙墓编钟的摆放与《周礼》所记载"诸侯轩悬"的用乐等级规格基本相符,诸侯可以享用三面排列的乐队奏乐。

　　西室放置 13 具女性陪葬棺,可能是表演乐舞或奏乐的乐工。北室是兵器、车马器和竹简等。可以想见,东室是曾侯乙的寝室,这位热爱音乐的国君在此享受到的是丝竹乐的优雅与美妙。中室是宴请王宫贵族及亲朋好友欣赏钟磬乐队和歌舞伎乐的场所,这种讲究排场与形式的金石之乐是中国先秦礼乐形态的真实再现。墓葬中最有音乐学术价值的是随葬的 125 件乐器,共计 9 种,有编钟 65 件、编磬 32 件、琴(十弦)1 件、均钟 1 件、瑟 12 件、篪 2 件、排箫 2 件、笙 6 件、鼓 4 件。如果按今天民族乐器的演奏方法来分,可分为打击乐、吹管乐和弹拨乐三类。

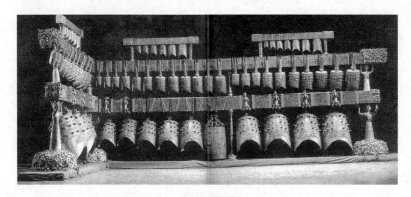

曾侯乙编钟

最令人瞩目的是一整套精美的青铜编钟,它是迄今为止出土的先秦编钟中规模最大、保存最为完整的一套。悬挂编钟的是曲尺形的铜木结构钟架,高大的钟架由 6 位佩剑青铜武士和 8 个圆柱承托。这些青铜武士身着长袍,腰部束带,神情肃穆,仿佛宫廷卫士般忠心耿耿地以头和双手托顶钟架。编钟分 3 层悬挂,按照钟的体积大小排列可分成 8 组,共 65 件。由 45 件甬钟、19 件钮钟和 1 件镈钟三种不同形制的青铜钟组成。让人惊奇的是,大部分编钟[①]出土时仍悬挂在钟架上,要知道整套编钟的重量达 2567 公斤,其中最大的一枚甬钟重量为 203.6 公斤,高 153.4 厘米！它们深埋地下 2400 多年却依然矗立。其实整个钟架和整套编钟设计排列的合理性和科学性才是让它矗立不倒的真正原因。音乐学家童忠良先生曾在一篇文章中写道:"19 年前,当我站在湖北随州擂鼓墩一号墓前,目睹着巨大的编钟在地下巍然屹立了 2400 年时,我的心颤抖了,我仿佛穿越了时空的隧道,听到了先秦的曾侯用神圣的钟声祈祷着天地人的和谐。"[②]的确,对于所有热爱中国文化和历史的人们而言,有什么能比祖先无与伦比的智慧更让我们骄傲自豪的呢？最上面一排是钮钟,体型较小,素面无纹。中下层的甬钟每一件都造型精美,钟体上刻有花纹和铭文。之所以称为甬钟,是因为钟的上部有一个细长的圆筒状甬柄。最下层编钟的中间有一件非常显眼、与众不同的钟叫镈钟[③],这件珍贵的文物为曾侯乙墓的断代和墓主人身份的确定提供了重要依据。钟上的铭文记载楚惠王熊章于公元前 433 年命人铸好这件镈钟,赠送给曾国国君乙,它表明曾侯乙下葬的年代应在公元前 433 年或稍晚些时候,属于战国初期。

---

① 众所周知,南方的地下水资源非常丰富,曾侯乙墓打开时里面满是积水,许多漆木器都漂浮在水面上,经过脱水处理后展现出真实的面目,青铜乐器因为不溶于水而保存完好。中国古墓有"十墓九盗"之说,考古人员在中室上面发现了一个盗洞,或许是因为三米深的积水使盗墓人无法进入,使里面珍贵的文物能够幸存。

② 童忠良:《古编钟的和鸣与天地人的交响——析谭盾〈交响曲 1997:天、地、人〉的编钟乐》,《黄钟》1997 年第 2 期。

③ 春秋中期以后,"五霸"的政治格局基本形成,楚国已完全控制了随(曾)的周边邻国,随(曾)国也由最初的与抗楚转为亲楚,成为楚的战略同盟。在公元前 506 年,楚昭王曾避难于随(曾)国,随(曾)人不仅保护了楚王,还配合秦军帮助他重返都城。所以在得知曾侯乙死后,楚惠王慷慨地铸好镈钟相赠,以表示对曾国国君的尊重和敬意。

　　编钟的音乐性能十分优异，音域宽广，从 A_1 至 C_4，跨越五个八度之多，它以姑洗（C）为宫，在三个八度的中部音区内十二个半音齐备，可以构成完整的半音阶，也可以在旋宫转调的情况下演奏五声、六声、七声音阶的乐曲。编钟的音色相当丰富，有明亮的高音钟、圆润的中音钟、浑厚的低音钟和倍低音钟。除了编钟的性能和音色之外，极为重要的是其发音原理。中国的编钟之所以是发音良好的旋律乐器，主要缘于扁圆的外形，这样钟体有两个边棱和两个钟面。每个钟面都有正部和侧部，均可以发出正鼓音和侧鼓音，两个受击部位发音的规律为大三度或小三度音程。编钟的这种设计使它更适合演奏旋律，当敲击正鼓音时，侧部的振幅降到最小；当敲击侧鼓音时，正部的振幅降到最小。正是由于古代乐师们如此精细的考虑，才使得中国的编钟具有独特的发音原理，一是适于演奏旋律，二是一钟能发出两个音。曾侯乙编钟的"一钟双音"不是一个偶然的现象，而是古代乐师们一项辉煌的科学成就。

　　那么曾侯乙编钟的演奏方式是怎样的呢？答案就在西室陪葬馆内出土的一件重要的漆木器——彩漆木雕鸳鸯形盒上。这件全身彩绘的木盒外形美观，腹部凿空，背部有盖，头可以自由转动。重要的是，在鸳鸯盒两侧的腹部各有一幅奏乐舞蹈图，左边为撞钟击磬图，右边为击鼓乐舞图，形象地再现了曾国宫廷乐舞的场景，为后人提供了关于如何演奏钟、磬、鼓乐器的生动资料。另外，墓葬中还出土了一套编钟的敲击工具，共有 8 件。其中有 6 件 T 字形的小木槌，是由三人各执一对，分别负责中层的 3 组甬钟，并兼顾上层的钮钟，以演奏旋律为主。另外有两件长而粗的彩绘大棒，由两人分执，负责下层的大甬钟，演奏旋律时用于骨干音的敲击，控制节奏，烘托气氛。

　　作为"金石之声"重要组成部分的编磬，也是曾侯乙墓乐器中的杰出代表。整套编磬共有磬块 32 件，分上、下两层悬挂。磬架为青铜铸造，由两个集龙首、鹤颈、鸟身、鳌足为一体的怪兽支撑。虽然磬块因其质地主要是石灰岩，与水发生化学反应而断裂，腐蚀严重，但磬架却保存完好，使我们能够从中了解当时编磬的排列及悬挂方式。编磬的音色清亮优美，与钟声的雄浑轰鸣相映成趣，可谓金声玉振，悦耳动听。与编磬同时出土的还有三件放置磬块的漆木匣和两个木质彩绘的磬槌，足以说明古人独具匠心的创造力和精心细致的构思。

　　曾侯乙墓出土的鼓共 4 件，包括建鼓 1 架、有柄的鼓、小扁鼓和悬鼓各 1 件，出土时这些形状不同的鼓的蒙皮均已腐朽，仅存木质鼓腔，但是鼓框边蒙皮固定的竹钉或骨钉犹存。建鼓是因有木柱贯穿鼓腔而得名，建即树立，其形象以前仅在青铜器的纹饰或者石刻画像中见过，因此曾侯乙墓的建鼓是目前所见最早的实物。建鼓的鼓座由繁复纠结、精美无比的群龙构成，乍一看犹如一团熊熊的火焰。青铜质地，圆形外圈，在座的中间有个空心圆柱，是用来插鼓的木柱。这个鼓座的铸造工艺十分复杂，与同墓出土的铜鉴缶、铜尊盘等礼器一样，都体现出当时青铜器制造业的发达和设计者们令人惊叹的艺术造诣。

　　相对于中室庞大辉煌的钟磬乐，东室是一批以琴瑟为主的轻型乐器。这样两种不同的乐器配置，可以了解春秋战国时期大型"钟鼓之乐"和小型"琴瑟之乐"的器乐组合形式。它们不禁让我们联想到现代大型的交响乐队和小型的室内乐队。中室的乐器除了编钟、编磬和鼓之外，还有 3 件鼓、7 件瑟、4 件笙、2 件排箫、2 件篪。东室的乐器有 5 件瑟、1 件琴、2 件笙、1 件鼓和 1 件均①钟，共 10 件。这些竹类、丝类和匏类乐器基本保存完好，为我们提供了一些过去无从想象、也未敢想到的珍贵音乐文物。如曾侯乙墓首次出土的两支排箫，由 13 根长短不同的竹管依次排列，用三道剖开的细竹管缠缚而成，表面饰有色彩绚丽的漆绘。出土时竟然有 8 根箫管能吹出乐音。曾侯乙墓出土两件竹制的横吹管乐器，均有一个吹孔，五个按音孔。吹孔向上开，按孔向外开，二者不在一个平面上。所不同的是一件长 30.2 厘米的竹管一段封闭，另一件长 29.3 厘米的竹管两段均封闭。结合史料记载，得知这种竹管乐器名曰"篪"。篪的这种设计使它的吹奏方式有些特别，演奏者双手横握，向内朝向自己。曾侯乙墓篪的发现，使这件古老的吹奏乐器重新为世人所知。②

曾侯乙墓共出土 6 件笙，是目前我国所见匏制笙最早的实物。因笙斗的制作材料为葫芦，所以笙归于八音中的匏类，出土时大部分长短不一的细竹管散乱，经过脱水处理后得知这些是插在笙斗上的笙管。用匏制作笙时，需要在幼匏生长阶段按照笙斗的形制，用匏范套住幼匏使之定型，这种方法类似今天制作各种类型的葫芦，也是要在它们某一个生长阶段先把外形固定好，等到葫芦成熟时才能结出需要的形状。让我们感到惊讶的是，在笙管中发现了大小不同的竹制簧片，这说明当时笙的制作和调音已经达到非常精细的程度。

琴和瑟是中国古老的弹弦乐器，琴瑟和鸣之声也曾飘荡在曾国的宫廷宴会中。曾侯乙墓共出土 12 件瑟，大多数为

---

① 这里的"均（jūn）"是动词，意思是调音。其另一读音为（yùn），用作名词，指调正钟音的专门木制器具。

② 当代已故笛乐大师赵松庭先生一生在竹笛的演奏、创作、制作、研究、教学等多个领域成就卓越，他成功研制的"雁飞篪"是这个领域代表性的成果。

整木雕成,通体髹漆彩绘图案。瑟的首尾均有 25 个弦眼,说明它们都是张 25 弦。瑟是一弦一音的乐器,每弦一柱(也称码)。墓中出土了 1358 件瑟柱以及两个盛放瑟柱的竹筒。从出土的数量来看,当时瑟应该是一件比较流行的乐器。曾侯乙墓出土 1 件十弦琴,黑漆,无彩绘。琴身分为音箱和尾板两部分,琴面无徽,凹凸不平,由此可知当时的十弦琴不会像后世古琴一样在琴板上来回按音演奏,它应看作是尚未定型的琴的早期形制。另有一件并非是用于实际演奏的乐器,外形似长木棒,中空,周身以黑漆为底,上面有红黄漆彩绘花纹图案。据学者考证此器物便是《国语》中所记载用来“度律”的“均钟”,用于编钟定律[①],但学界也存在不同意见。

曾侯乙墓随葬品中刻有“曾侯乙作持”或“曾侯乙持用终”等铭文字样的青铜器物有 200 多处,由此表明这些乐器都是酷爱音乐的曾侯乙生前享用和拥有的。在编钟的钟体、钟架和挂钟构件上,刻有 3755 字的铭文,其中钟体的铭文 2828 字。它们大多铸于钟体的钲部、正鼓部和左、右侧鼓部。铭文内容以当时的乐律学理论为主,用以记载先秦时期乐律学理论以及曾国和周、楚、齐等各国的律名、阶名、八度音相互的对应关系,还有一些用以铭文记事。这些乐律学术语,正如一部失传了的中国先秦时期乐理全书。它们的发现使人们对中国先秦乐律学的认识有了质的飞跃,比如铭文中记载了某个音在其他调式中对应的称谓是什么,反映出当时旋宫转调应用的实际情形,而这些在后世的文献中已经很难寻觅或辨析。当代学者们对编钟铭文的研究证实,现代欧洲乐理体系中的大、小、增、减、八度等音程的概念,在当时曾侯乙编钟的铭文中应有尽有,它们曾经是中华民族独有的乐理表

---

① 黄翔鹏:《均钟考——曾侯乙墓五弦器研究》,《黄钟》1989 年第 1、2 期。

达语言。这些铭文所揭示出的乐律体系，是在继承商、周文化的基础上，融合南方楚文化的传统而创造出的辉煌成就。学者们研究发现，曾侯乙编钟乐律体系是以我国传统的三分损益法为基础，兼采纯律生律法而产生的一种复合律制，它像是一个以五度音程为框架，以三度音程为枢纽的网，黄翔鹏先生将其总结为"辅曾体系"[①]。

　　如果详细了解曾侯乙墓出土的这些用于不同场合的器物，我们会强烈感受到，曾侯乙墓的价值绝不仅仅是在音乐方面填补了先秦某些音乐史料记载的空白，钟磬乐队只是该墓出土器物中一个光彩夺目的部分，其实在青铜器的铸造、彩绘艺术、玉器制造等多个领域都能够反映出当时曾国文化的高度繁荣，令后人感慨万千。比如铜鉴尊盘、铜鉴缶等精湛的制作工艺和细节的巧妙设计等，处处体现了先民们神奇的、智慧的创造力。再比如墓主人的棺材有内、外两层，内棺上绘有丰富的龙凤、神兽、怪鸟等图案，这些神怪有庇护墓主人并使其灵魂升天之用。外棺侧面的右下方有一个方形小门，它和内棺的窗格纹有相似的象征意义，是供灵魂自由出入的。这些都形象地折射出王公贵族的厚葬之风以及中国古人灵魂不死的观念。

　　作为 20 世纪中国音乐考古界最具影响力的发现之一，曾侯乙墓出土的乐器具有极为重大的学术意义。它的出土使人们对周代礼乐制度有了直观的认识，也为研究周代的礼乐制度提供了一个不可多得的实例。曾侯乙墓编钟是古代科学与艺术高度结合的顶峰之作，无论在铸造工艺、结构设计、音响性能等多方面都堪称为一项显赫的科学成果。在曾

────────────

[①] "辅"表示某律上方的纯律大三度，"曾"表示某律下方的纯律大三度。黄翔鹏：《中国古代音乐史——分期研究及有关新材料、新问题》，（中国台北）汉唐乐府 1997 年 12 月，第 44 页。

侯乙墓中首次发现一些久已失传的或形制较早的古乐器,它们与文献典籍相互印证,为古代音乐史的研究提供了宝贵的实物资料。编钟上所刻的大量铭文具有重要的学术价值。钟体的铭文有记录、标音、乐律方面的功用,对于曾侯乙乐器的断代、战国时期各诸侯国乐律的使用情况以及所用音阶及变化音等方面的研究具有非同寻常的意义。

中古:丝竹管弦的繁荣

中古时期是西域乐器在中原地区广为流行的时代,西域音乐的传入(包括乐人、乐舞、乐器)促使汉唐歌舞音乐走向繁荣。各种各样的西域乐器构成以"丝竹乐"为代表的乐器群,它们在我国历史上独领风骚长达一千多年的岁月,构成传统的"华夏旧器"和西域乐器并存的时代盛况。文献中记录当时的乐器形式和种类十分丰富,但出土文物中却很少发现它们的踪影。究其原因,是这些乐器的制作材料以竹、木类为主,在无特定的密封无氧条件下,大多难以长久地保存于地下。自汉代起陆续传入的大批外来乐器,如竖箜篌、凤首箜篌、曲项琵琶、五弦琵琶、筚篥、羯鼓、都昙鼓、鸡娄鼓、铜钹、贝、羌笛等,以轻型为主,体现出游牧民族的乐器特色。筝、筑、琴、瑟等古老乐器,是土生土长的中原农耕文化的产物,它们有着横躺在地、张着丝弦的共同特点。这类演奏时席地而坐、不便于搬移的乐器与游牧民族使用的轻巧型乐器形成鲜明对比。

"琵琶"二字的文字记载最早见于东汉时期的典籍,当时称为"枇杷"或"批把"。魏晋时期,将其改为以琴为字头,即"琵琶"。东汉刘熙所著《释名·释乐器》中记载:"枇杷本出自胡中①,马上所鼓也。推手前曰枇,引手却曰杷,象其鼓时,因以为名。"表明琵琶的得名是因为演奏时的手指弹奏技法及其发出的声音。同是东汉人的应劭在《风俗通义》中记载:

---

① 东汉时"胡"专指生活在西北部的游牧民族匈奴,也并非特指西域地区。

"枇杷,谨按此近世乐家所作,不知谁也。长三尺五寸,法天地人与五行,四弦象四时。"由此得知,汉至魏晋时期中国人已经在使用这种圆体、直项、四弦,以右手的推却(类似今天的弹跳)而命名的乐器了。在唐代杜佑编撰的《通典》中称之为"秦琵琶"(用此名以区别于当时社会上已经流行的半梨形琴体、弯曲向后的琴头、用拨子弹奏的四弦、四柱的琵琶),值得注意的是,这里的"秦"字并非指秦国或者秦地,而是汉代外国和外域人对于中国的称谓。汉代相和大曲的表演中,琵琶(指秦琵琶)与筝、节、笛等同是伴奏乐队的乐器。后来,这种"秦琵琶"不断发展,为了有所区别,唐代文献中已将三国时期文人音乐家阮咸善于弹奏的那种直项、圆盘琴体的通品(琵琶的"品"是中原文化的传统)。四弦琵琶,称之为"阮咸",后世简称"阮"。1960 年江苏南京西善桥发掘的南朝墓,出土"竹林七贤"的画像砖,其中阮咸弹琵琶的形象清晰可辨。

由于南北朝至隋唐时期,社会上产生了形状各异的多种琵琶,"琵琶"一词几乎成为所有弹拨乐器的统称。曲项琵琶是公元 4 世纪从丝绸之路传入中原的,后来逐渐汉化。文献中将这种琵琶称之为"胡琵琶",它最早的发源地是波斯(今伊朗)。曲项琵琶作为龟兹乐的主要乐器,在中国影响深远、声名远播是在龟兹乐传入中原以后,尤其在唐代极受欢迎。最初曲项琵琶主要用于歌舞音乐中,它作为乐队的核心乐器,体现出节奏刚健、音色宏亮等特点。当在中原音乐的土壤中孕育成长后,汲取容纳了秦琵琶的演奏技巧和艺术风格,逐渐发展成为一件具有丰富表现力的独奏乐器,不仅延续着右手拨弦时对于力度、速度的娴熟运用,而且在左手指法方面也愈加细腻而精妙。白居易的《琵琶行》《听曹纲兼示重莲》,张祜的《王家琵琶》,元稹的《琵琶歌》等唐代诗歌将曲项琵琶的演奏手法、艺术风格、音响效果描述得非常生动传神。从敦煌莫高窟和云冈石窟留存的壁画中，能看出曲项琵琶在当时乐队中的地位。唐代上至宫廷乐队，下至民间演唱都少不了琵琶，琵琶成为当时非常盛行的乐器，而且常在乐队处于领奏地位。刘再生先生曾撰文将我国琵琶艺术的高峰期总结为两个阶段：以横抱、拨弹，四弦四柱为标志的外来形态阶段（高峰时期在唐代）和以竖抱、手弹，四相多品为标志的民族形态阶段（发展高峰在明清）。[①] 因此，琵琶的传入及其在中原的充分发展，可以说是中原乐器和西域乐器相互影响的典型例证。

唐代是中国历史上琵琶艺术发展的第一个高峰期，高手如星，名曲如云。见于记载的知名琵琶演奏家有曹妙达、贺怀智、雷海青、段善本、李管儿、康昆仑、曹保、曹善才、曹刚、裴兴奴、李士良等一大批人，他们的演奏达到出神入化，使人惊心动魄的境界。唐代的琵琶演奏常常使用移调的手法，使其艺术表现力丰富感人。移调是把同一首曲调移在不同的调高、指法或弦法上演奏，现在我们将这种手法称之为移调指法变奏或移弦指法变奏。当时的演奏家以此作为表现演奏技巧的重要手段之一。《乐府杂录》记载了琵琶演奏家康昆仑和段善本在长安东、西两市的祈雨活动中，展现高超的演奏技艺的生动故事，他们用了不同的"新翻羽调"和"枫香调"演奏同名乐曲《绿腰》。

唐朝长安城内聚集着大批来自西域各国的乐工、舞者和画师等艺术家，中亚昭武九姓国[②]的音乐家、舞蹈家在长安城内为数最多。琵琶演奏家康昆仑是西域康国人，是这一群体

---

① 刘再生：《我国琵琶艺术的两个高峰期》，《音乐艺术》1982 年第 3 期。

② 中亚地区建立的安、曹、何、康、石、米、史、火寻、戊地九个小国。

的杰出代表。唐朝宫廷九部乐、十部乐中西域地区的乐舞占据一半,如龟兹乐、安国乐、康国乐、疏勒乐、高昌乐,可以想见当时这些地区的乐人在长安人数必然之多。唐代宫廷燕乐的兴盛,是善于吸收、融汇多民族优秀音乐文明成果的一个最佳证明。

日本的古都奈良珍藏着许多传自中国唐朝的乐器,如古琴、箜篌、阮、琵琶等,它们成为今天了解唐代器乐艺术的重要实物资料。盛唐时期,大量唐文化和西域文化由中国传入日本,音乐便是其中重要的一部分。传入的乐器和乐谱被保存在日本奈良东大寺的正仓院,其中金银平纹古琴、螺钿①紫檀五弦琴、螺钿紫檀阮咸、螺钿紫檀曲项琵琶都是珍贵的文物精品。从嵌螺钿工艺,到琴身造型、图案纹样等特征都充分体现了盛唐时代的华丽气息和审美风尚。

在今天的民族乐器中,还有一件唐代十分流行的乐器走过一条与琵琶相似的汉化之路,那就是筚篥。从隋唐九、十部乐中广泛使用的大、小筚篥的形制,到宋代教坊大乐中自成一部的头管以及明清时期常用于民间器乐合奏中的管子,其发展经历了从一件西域龟兹国的乐器向本土乐器的演变,其身影曾经活跃在中国古代的宫廷和民间。筚篥是一种适于表现悲凉情感的乐器,自从西域传入中原以后,它的名称和外型都有所变化,但它的音色特质却始终未变,直至今天。唐代史料和诗歌中有不少关于筚篥的记载,如"筚篥,本名悲篥,出于胡中,其声悲"(《旧唐书·音乐志》)、"南山截竹为觱篥,此乐本自龟兹出。"(李颀《听安万善吹觱篥歌》)筚篥曾是西凉乐、龟兹乐、安国乐等乐部中的重要乐器,至宋元明清各

---

① 所谓"螺钿",是指用螺壳与海贝磨制成薄片,根据需要而镶嵌在器物表面的装饰工艺的总称,也是一种最常见的传统装饰艺术,被广泛应用于漆器、家具、乐器、屏风、木雕等器物上。螺钿的"钿"字,为镶嵌装饰之意。

代,有筚管、雅管、头管的名称,显示出逐渐汉化而融入中原的发展趋势。

在唐代宫廷还盛行着一件造型优美的乐器——箜篌,箜篌有卧箜篌、竖箜篌、凤首箜篌三种形制。竖箜篌相传汉代即从西域传入,其演奏方式如杜佑《通典》中所记载,"竖箜篌,胡乐也,汉灵帝好之,体曲而长,二十二弦,竖抱于怀中,用两手齐奏,俗谓之擘箜篌。"唐代诗人顾况在《李供奉弹箜篌歌》一诗中有更形象的描述:"急弹好,迟亦好;宜远听,宜近听;左手低,右手举,易调移音天赐与。"唐代诗人杨巨源《听李凭弹箜篌》中所描绘的梨园箜篌名家李凭弹奏的也是竖箜篌,自汉魏南北朝到隋唐五代广泛流行的乐器。据说凤首箜篌是唐代自印度和缅甸传入,在宫廷燕乐表演的天竺乐部使用,因饰以凤首而得名。1996年在新疆且末县出土了两件弓形箜篌,年代约为公元前3—前4世纪,相当于中原的战国时期,这也是迄今发现最早的箜篌实物。至于卧箜篌的形制,类似于琴、瑟、筝一类的横式弹拨乐器。早在《史记·武帝纪》有记载"作二十五弦及箜篌瑟",《通典》中讲到"其形似瑟而小,用拨弹之,非今器也"。

有一组考古发现的实物为我们今天了解唐代宫廷燕乐及其形式和规模提供了例证,它们仿佛是1000多年前唐代宫廷乐舞的一个投影,这就是五代时期前蜀皇帝王建(847—918)墓葬中的歌舞伎乐石刻。1942年在四川成都老西门外三洞桥附近发现这座陵墓,墓主人王建于唐昭宗时被封为蜀王,唐亡后称帝于成都,国号蜀,又称前蜀。在石棺床周围的东、西、南三面墙上刻有浮雕歌舞伎24人,均为女性。除正面两个对舞的舞伎以外,其他各自拿着不同的乐器,吹、拉、弹、唱,呈现出各自不同的动作和神情,是一个完整的宫廷歌舞及乐队表演。南面,有舞伎2人,弹琵琶伎、打拍板伎各1

人。东面有击正鼓伎、击齐鼓伎、击和鼓伎、吹横笛伎、吹筚篥伎、打拍板伎、击羯鼓伎、击鸡娄鼓兼摇鼗伎、击答腊鼓伎、击毛员鼓伎各 1 人，共 10 人。西面有吹篪伎、吹排箫伎、弹筝伎、吹筚篥伎、弹箜篌伎、吹叶伎、吹笙伎、吹贝伎、击铜钱伎、击羯鼓伎各 1 人，共 10 人。这支由 22 人组成的宫廷乐队（包括 3 件弹拨乐器，8 件吹奏乐器和 12 件打击乐器）乃是晚唐五代歌舞音乐中最为流行的龟兹乐队的编制。这些歌舞女伎石刻，反映出五代十国时期唐代宫廷音乐依然在西南地区流传的盛况。

另有两组考古发现，为我们认识晚唐五代时期的器乐艺术提供了重要实物资料。河北省曲阳县五代时期义武军节度使王处直（？—922）的墓葬，出土了精美的彩绘伎乐石雕。石雕上共有乐人 15 位，其中由 12 人组成的两排小乐队，演奏琵琶、拍板、箜篌、筝、筚篥、笛、笙等乐器。陕西彬县五代后周朔方节度使冯晖的墓葬，出土的彩绘伎乐砖雕人物共 22 人，上方 11 为男性乐人，分别是舞者、演奏方响、箜篌、拍板、腰鼓、大鼓、舞者、笛、筚篥、笙。下方 11 人为女性乐人，分别是演奏排箫、笙、筚篥、笛、舞者、大鼓、琵琶、拍板、方响、舞者。这两处伎乐浮雕都做工精良，人物刻画生动写实，气质端庄典雅，乐器品种丰富多样。五代十国时期（907—960）是唐末"安史之乱"后形成的藩镇割据局面，这些大大小小的朝代和国家前后存在了半个世纪的时间，这些不同地域墓葬出土的歌舞乐浮雕石刻，在某种程度上可以说是晚唐宫廷音乐的折射和遗存。

近古:乐器的本土化与民间化

中国的器乐艺术是随着历史上不同民族音乐文化的不断交流而逐渐定型的。除了钟、磬、琴、筝、笙、排箫等"华夏旧器"外,其余活跃在今天音乐舞台上的,大多曾是外来传入的乐器,如东晋十六国传入的曲项琵琶;唐朝的筚篥、五弦、羯鼓;宋代的奚琴;金元时期传入的唢呐;明末清初传入的扬琴等,它们都在漫长岁月中不断和中原文化融汇,演变成今天具有中国特色的民族乐器。近古时期,器乐独奏艺术与合奏艺术均有建树,为民族器乐的传承与发展奠定了坚实的基础,对现代民族乐器的面貌有着直接的影响。在唐代,"梨园"建立起规模庞大的专门器乐组织之后,宋代宫廷曾出现大型的器乐合奏形式,称为"教坊大乐"。明清时期各地的鼓吹乐和吹打乐在宫廷和民间都发挥着重要作用,多种民间地方乐种与当地的戏曲艺术以及民间音乐结合紧密。因此,近古时期中国器乐艺术迎来了一个以本土化和民间化为标志的历史时期。

中国古代拉弦乐器的发展由战国时期的"筑"至唐代的"轧筝",再到宋代出现"奚琴"以及其后用马尾作为琴弓的各类地方弓弦乐器,经历了用棒击(擦、拂之义)弦到用竹片擦弦,再到用弓子拉弦的漫长过程。北宋陈旸编撰的《乐书》记载了奚琴这件乐器。奚族是唐代东北部的少数民族,原居辽水上游,据说以善战著称。汉时称"乌桓",北魏时自号"库真奚",隋唐时称"奚"。奚琴由奚族传入中原,在宋代宫廷中已十分流行。《乐书》中画有一张奚琴图,乍一看与今天的二胡很相似,但又有两处明显的区别:一是两个琴轸与今天二胡的方向相反,由长出琴杆的部分系弦;二是图中没有出现弓子,旁边一段文字写明是用竹片润湿后演奏。虽然这种名为奚琴的乐器制作比较粗糙,但已经成为宋代宫廷教坊乐队中的重要乐器。

奚琴的演奏水平在沈括《梦溪笔谈·补笔谈》中有一则记载可窥见:"熙宁中宫宴,教坊伶人徐衍奏嵇琴,方进酒,而一弦绝,衍更不易琴,只用一弦终其曲,自此始为一弦嵇琴格。"当一根弦断了之后,并未更换新琴,只用一根弦演奏完整首乐曲,这必须要有熟练的音位技巧和从容的演奏状态才能实现。900 年前教坊中的优秀乐工徐衍能够有如此的演奏水平,不禁让我们感叹!无独有偶,近代民族音乐家刘天华1932 年创作的二胡曲《独弦操》和西方小提琴曲《G 弦上的咏叹调》[①],都是有意识地创作出只用一根琴弦演奏整首乐曲的著名作品,这不禁使人联想到北宋教坊伶人徐衍的演奏风采。随着近古时期戏曲音乐的蓬勃发展,胡琴一类乐器特有的神韵逐渐显现,乐器形制和音色的多样化构成了中国弓弦乐器的独特魅力。明清时期,胡琴("胡琴"在唐代至明代曾是北方少数民族弹拨乐器的统称,约在明代中叶以后逐渐成为拉弦乐器的专称)成为各地民间戏曲音乐的主要伴奏乐器,如梆子和秦腔所用的板胡,粤剧所用的粤胡,京剧中的京胡,吕剧所用的坠胡等等。

明清时期的器乐独奏艺术,以古琴和琵琶为代表,出现了一大批优秀的演奏家和一些优秀的音乐作品。明清时期

---

① 原曲是德国作曲家巴赫创作于 1727 年至 1736 年间的《乐队组曲第三号》第二乐章。19 世纪德国小提琴家威廉密(August Wilhelmj,1845 年—1908 年)将音乐主题改编为小提琴独奏曲,因小提琴在最粗的一根弦 G 弦上演奏全部旋律,故此得名。

是我国琵琶艺术的又一个高峰期，以指弹琵琶艺术与唐代拨弹琵琶艺术交相辉映。这一时期出现了张雄、李近楼、汤应曾、华秋苹、李芳园等一批卓越的演奏家。明代正德、嘉靖年间（1505—1566），河南琵琶名手张雄曾以善弹《海青拿天鹅》著称。明人李开先《词谑》"词乐"记录了张雄演奏《拿鹅》时生动形象的一幕，也显示出当时琵琶演奏技巧已达到相当高的水平。万历年间（1573—1620），北京城有号称"都城八绝"者，如琵琶绝李近楼，吹箫绝王国用，三弦绝蒋鸣岐，八角鼓绝刘雄等（沈榜《宛署杂记》）。"八绝"是指当时技艺精湛的八位艺人，其中最有名的是李近楼。被誉为京师琵琶第一的李近楼据说双目失明，以琵琶自娱，新声古曲，无不绝妙之极，且能左右手弹奏。有友人来访，以弦对之，酷似人语，字句清晰可辨，而且还能变声调学两三个人说话。模仿军士操练、鼓乐叫喊声、琴筝笛音，更是惟妙惟肖。沈德符《万历野获编》记载了这位"其声能以一人兼数人"的琵琶演奏家。

万历年间的琵琶演奏家汤应曾，人称"汤琵琶"，善弹《楚汉》一曲。明代王猷定（1589—1662）《四照堂集》的"汤琵琶传"生动地记载了汤应曾演奏《楚汉》时的情景："当其两军决战时，声动天地，屋瓦若飞坠。徐而察之，金声、鼓声、剑弩声、人马辟易声……使闻者始而奋，既而恐，终而涕泣之无从也。其感人如此。"所绘之情景、声色与今之《十面埋伏》十分近似，它们之间应该有直接的继承关系。《十面埋伏》，是一首大型琵琶武曲，乐谱最早见于 1818 年华秋苹编印的《琵琶谱》。乐曲描写公元前 202 年楚汉战争最后一仗——垓下决战情景。汉军用十面埋伏的阵法击败楚军，迫使项羽自刎于乌江，刘邦取得战争胜利。全曲分 13 个段落，标题分别为：列营、吹打、点将、排阵、走队、埋伏、鸡鸣山小战、九里山大战、项王败阵、乌江自刎、众军奏凯、诸将争功、得胜回营。早在 16 世纪之前，此曲已在民间流传。在演奏技巧方面，《十面埋伏》几乎涵盖了传统琵琶武曲所用技法，充分运用琵琶的各种技巧表现汉军威武的军阵以及战争中千军万马的呐喊和刀光剑影的决战，具有强烈的艺术感染力。《霸王卸甲》，也是一首著名的传统大套琵琶武曲。取材与《十面埋伏》一样，同样是描述垓下之战，同样是采用章回式结构，但角度却着重描绘西楚霸王项羽的败北。《十面埋伏》的主角是刘邦，乐曲情绪高昂、气势磅礴；而《霸王卸甲》的主角是项羽，因而乐曲风格凄凉悲壮。全曲以【升帐】和【点将】两段为主要旋律，乐曲除表现项羽"力拔山兮气盖世"的英雄豪迈气概之外，另一方面着重刻画【别姬】的段落，在四面楚歌声中面对爱妃发出"虞兮虞兮奈若何"的痛苦别离，音调悲切缠绵、情真意浓、感人肺腑。

琵琶武曲的特点在于写实性和叙事性，《十面埋伏》和《霸王卸甲》都是琵琶武曲的优秀代表作。与此同时，以《月儿高》《夕阳箫鼓》等为代表的琵琶文曲在明清时期也得到广泛流传。《夕阳箫鼓》是中国传统琵琶文曲的代表作品，在 18 世纪就流传在江南一带。最早见于平湖派琵琶艺术的创始人李芳园 1895 年所编的《南北派十三套大曲琵琶新谱》中，曲名《浔阳琵琶》。乐曲旋律典雅优美，左手多用推、拉、揉、吟等演奏技法，描绘出一幅清丽的山水画卷，意境幽远，表现出作者对大自然美景的感受与热爱。全曲的高潮是第九段"欸乃归舟"，乐曲在悠扬徐缓的旋律中结束，让人回味无穷。20 世纪 20 年代上海"大同乐会"的柳尧章将此曲改编成民乐合奏曲《春江花月夜》，从此广为流传，后被改编为各种中西乐器的独奏、合奏曲，是深受人们喜爱的中国古典音乐作品之一。

　　中国古琴艺术自汉魏以来,经过唐宋时期,至元明清各代,经历了艺术上的逐渐成熟和发展,琴乐的总体风格由对气势力度、繁声促节的推崇转变为对清微淡远、弦外之音的意境美的追求。如早期《广陵散》《碣石调·幽兰》《离骚》等琴曲,多以丰富的右手指法为特点,或力度和节奏鲜明,或常使用外调、频繁的调性转换以及并用多种不同的古代七声音阶等。中唐以来,尤其是南宋以后,琴界流行声少而节缓的右手单声指法,同时重视左手指法的细腻,使古琴音乐韵味美的特点得到充分发挥,如《潇湘水云》《渔樵问答》《忆故人》等琴曲体现出的对意境之美的追求。

　　明清时期,古琴文化在社会上受到重视。上自皇帝,下至普通文人,都对古琴十分热爱。与此同时,私人集资刊印琴谱的风气盛行,从15世纪初到19世纪末的500年间,先后刊出琴曲谱集约百种以上。不少文人士大夫提倡琴学,将古代流传的琴曲及民间流行曲目汇编成谱集,并加以解题。如明代明太祖朱元璋第十七子朱权所辑琴谱《神奇秘谱》(1425年),为现存年代最早的琴曲谱集。明代嘉靖年间琴家汪芝所辑《西麓堂琴统》(1522—1566),明代万历年间琴家蒋克谦所辑《琴书大全》(1590)等,都是值得重视和研究的重要古琴文献。这些谱本的出现不仅使许多古曲得以保存,而且促进了古琴流派之间的交流。

　　琴派是指具有共同艺术风格的琴人所形成的古琴流派。它的产生主要有三个决定因素,一是地理环境,二是师承渊源,三是传谱传曲。随着琴谱的大量刊印、各阶层琴人数量的增加以及同一首琴曲版本的增多,琴乐艺术在全国各地得到广泛传播,形成虞山派、广陵派、川派、闽派、岭南派、诸城派、九嶷派等几个有影响力的派别,琴派名字的称谓多以地区来命名。虞山派,是明代最为重要的琴派,在明清众多琴派中具有深远的影响力。虞山是地名，位于江苏的常熟地区，当地有条河流名"琴川"，因此"虞山派"又称为"熟派"或"琴川派"。虞山琴派形成于明代嘉靖、万历年间，以严澂（号天池）、徐上瀛（号青山）为代表。它继承了南宋以来浙派的琴学传统，同时受到明代宫廷琴谱和吴地民间音乐与民间琴家的影响。在演奏风格和琴学思想上形成独特体系，倡导"清、微、淡、远"的琴风，并发展为更为开放的琴乐审美标准，即《溪山琴况》之"二十四况"。嘉靖年间，严澂在江苏常熟创立古琴结社"琴川社"，结交许多志同道合的文人琴士，编辑成《松弦馆琴谱》，反对当时滥配琴歌的风气，倡导清和、恬淡的琴风，成为虞山琴派的创始人。这份具有代表性的琴谱也是《四库全书》收录的唯一一本明代琴谱。陈爱桐的另一再传弟子徐上瀛在严氏的基础上加以丰富，辑有《大还阁琴谱》和美学要著《溪山琴况》，使虞山琴派无论在琴曲演奏，还是琴乐审美，都成为当时的琴派之榜样。

每个民族都有自己独特的器乐艺术，它是表达一个民族思想情感极为重要的艺术形式。两千多年前儒家大师孟子有句名言，"今之乐，犹古之乐也"，明清时期的许多器乐乐种至今仍保存着古乐的面貌，有着令人难以置信的古老性，因此明清时期的器乐艺术为我们提供了可听可见的古代音乐传承的实例，它们可以说是"中国音乐的活化石"。明清时期全国各地蓬勃发展的民间器乐合奏主要有十番锣鼓、潮州音乐、泉州南音、西安鼓乐、智化寺京音乐、山西八大套、辽南鼓吹等。

泉州南音，又称"南曲""南管""弦管"，是集演唱、演奏、表演于一体，孕育于唐，传于宋，盛于明清的中国现存最古老的乐种之一。它广泛流传于闽南泉州、厦门、台湾地区以及东南亚一带，成为海外侨胞和港澳台同胞竞相传唱的乡音，也是联系世界各地闽南人的精神纽带之一。与有些处于自生自灭状态的传统器乐艺术不同，今天喜爱南音的人们数量众多，以南音的发祥地和集中地泉州为例，民间的弦管班社几乎遍布城乡各地，爱好者自愿结合，自娱自乐，遍地可听管弦之声，不得不让人感叹这种古老艺术的独特魅力。南音的重要性不仅在于其广泛的受众面，更为难能可贵的是它的研究价值，这种古老艺术中存活着昔日中原古乐的历史信息，这与历史上的几次大移民现象不无关系。自东晋以来，直至两宋等朝代，中原人民不断南迁，最后定居在气候宜人、土壤肥沃、偏安东南一隅的地区，当时的泉州经济已相当发达。中原人的南渡，不仅带来了中原先进的生产技术，同时也必然带来中原优秀的音乐文化，并与当地民间音乐相融合，形成具有中原古乐遗韵的文化表现形式。

南曲由"指""谱""曲"构成一个完整的音乐体系，包括清唱和器乐演奏两种艺术形式。实际上还包括泉州木偶戏（目莲傀儡）、梨园戏、高甲戏、打城戏诸剧种的音乐唱腔以及"南音十番"等。"指"，是"指套"的简称，亦称"套曲"，是一种有词、有谱、有指法（即琵琶弹奏指法）的完整套曲。它虽包含南曲最优秀的曲词、曲调，但在习惯上只作器乐演奏，很少演唱。"谱"是有标题的器乐套曲，没有唱词，专供乐器演奏，属标题性音乐。以琵琶、洞箫及二弦、三弦为主奏乐器。每套包括三支至十多支曲牌，共 16 大套。内容多为描述四季景色、花草虫鸟或骏马奔驰等情景，其中著名的有"四"（《四时景》）"梅"（《梅花操》）"走"（《八骏马》）"归"《百鸟归巢》）四大名谱。"曲"指散曲，是可以演唱的单曲或套曲，只作为声乐曲演唱。"曲"的数量有两千多首，最著名的有《望明月》《山险峻》《元宵十五》《因送哥嫂》《三更鼓》等，它是晚唐五代曲子词以及宋以来词调音乐的延续，可以说是存留至今的中国古代艺术歌曲。南音之所以能够比较完好地传承至今,与其独特而系统的记谱方式息息相关,其谱字、琵琶指法、撩拍符号都来源久远,且发展完善。重要的南曲曲谱,如刊印于清咸丰七年(1857)的《文焕堂初刻指谱》、始编于清末的《泉南指谱重编》等。

据学者们研究考证,南音的曲牌名称、音调韵味、所用乐器、演奏姿势等方面,都与唐宋以来的大曲、法曲、词调、散曲有着密切关系,其古老性不言而喻。这一点在使用的乐器上体现得十分明显,这些乐器形制多为唐宋遗制。如演奏南音的琵琶(称为"南琶"),采用横抱姿势,与今天竖抱琵琶显然不同,却与敦煌壁画上的飞天造型以及泉州开元寺内的飞天乐伎十分相似。南音所用的主要乐器之一洞箫又称"尺八",管长一尺八寸与唐传日本"尺八"类似,延用唐箫规制,声韵浑厚深沉。宋代之后,尺八在中国的其他乐种难寻踪迹,唯南音尚保留它至今。南音使用的二弦与唐末出现的奚琴最为接近,从北宋陈旸的《乐书》中我们可以看到当时绘制的奚琴形制。拍板,属于击拍乐器。相当于唐以前乐队中使用的"节",隋唐时期拍板已经在宫廷宴乐和民间鼓乐中使用。历代拍板因使用的目的不同,板的数量也不一致,一般由三块、六块木板组成,最多者九块。南音使用的拍板由五块长板形荔木串联起来,拍板的奏法仍保持唐代演奏方法,演奏者右手握两块,左手握三块,两手合击在每小节的拍子上。

2009年9月30日,联合国教科文组织公布南音入选"人类非物质文化遗产代表作名录"。南音能够成功入选,充分显示出它的古老性、杰出性和非凡的文化价值。从泉州市政府、文化部门到当地戏曲爱好者和一些专业的、业余的组织,都为普及和弘扬南音事业作出了重要贡献,是他们共同的努力使泉州南音真正成为传承中国古代音乐的"活化石",让后世子孙能够对祖先流传下来的音乐"一饱眼福""一饱耳福"。近些年为南音作出突出贡献的如编撰出版大量弦管典籍和古谱的郑国权以及来自我国台湾的陈美娥女士,此外还有龙彼得、丁马成、王今生等学者,苏统谋等南音代表性传承人以及一些优秀的社会活动家,他们在南音艺术继承和传播方面成绩斐然。陈美娥认为汉朝典籍记载的"丝竹更相和,执节者歌"的相和歌,以丝竹伴奏,由打拍板者唱歌的音乐形式,正是今日南音琵琶、洞箫、二弦、三弦、拍板的"上四管"排场的前身。她与她的"汉唐乐府"①创作出《艳歌行》《俪人行》《梨园幽梦》《韩熙载夜宴图》《洛神赋》等多部古乐作品,以深邃悠扬的南音乐音与典雅脱俗的梨园舞蹈为基础,将中国古乐的研究成果搬上舞台,陈美娥的倾力探索使她的南音乐舞成为传统与创新结合的典范。在思考延续传统艺术的生命这一难题上,陈美娥主张既保持对传统文化足够的尊重和敬畏,又以新的艺术形式将其创新发扬。既为当代人的审美观念所接受,又不使之流俗化,从而形成自身"既古典亦现代"的艺术风格,陈美娥的成功经验都值得我们深入思考和总结。

西安鼓乐,又称"长安古乐",是千百年来流传在西安及周边地区的民间大型鼓乐艺术形式。众多寺庙和道观,以及这些庙、观的庙会活动和多家民间乐社是西安鼓乐得以生存的基础。从目前保存的一百多本鼓乐谱手抄本情况来看,其中年代最早、最完整的谱本是清康熙二十八年(1689)的抄本《鼓段赚小曲本具全》。"西安鼓乐"的流传经千余年,它脱胎于唐代燕乐,后来融入到宫廷音乐中。安史之乱期间随宫廷

---

① 汉唐乐府成立于 1983 年,由陈美娥和兄长陈守俊共同创办于台北。1994 陈美娥进一步成立"汉唐乐府艺术文化中心",由她担任艺术总监。将南音的表演、教学、出版、研究等工作一并融入,以南音的兴存为己任。

乐师的逃亡而流入民间,依托寺庙进行乐事活动,逐渐分成僧、道、俗三个流派,它们在师承、调式、乐器、音乐风格等方面有所区别,僧派沉厚、道派清雅、俗派欢悦。西安鼓乐在明清时期达到鼎盛,至今保存着最传统的鼓乐演奏形式、结构、乐器、曲牌及谱式。现今各鼓乐社使用的乐谱全为手抄传本,还保留有明代的传本。可以说,自唐、宋以来,中国音乐许多要素(律、调、谱、器等)都在这个古老乐种中留下了遗迹残痕。乐谱属于宋代俗字谱体系,所用的调有六(C)、尺(G)、上(F)、五(D)四调。

西安鼓乐是一种以吹奏乐与锣鼓乐相结合的大型合奏形式,民间多称为"细乐",分为"坐乐"和"行乐"两种演奏形式。"坐乐"是室内演奏的鼓乐形式,是有严格固定曲式结构的大型民间套曲。演奏者围坐在一张长方形的大桌周围,所用乐器以笛为主,配以笙、管,有时加用双云锣。"行乐"比坐乐简单,它的演奏以旋律为主,节奏乐器只起伴奏、击拍作用,多用于街道行进和庙会站立演奏的场合。演奏风格典雅稳重、节奏徐缓。西安鼓乐各流派乐社保留下来的曲目与曲牌有上千首,是一笔非常宝贵的音乐遗产。从研究角度看,西安鼓乐具有极高的学术研究价值,从中可以寻找出唐、宋音乐的古老信息。对于西安鼓乐的抢救、挖掘、整理、研究是破解中国古代音乐难题的关键环节之一。国内外众多音乐家在研究中国古代音乐时,均将西安鼓乐作为实证材料。如20世纪50年代,音乐学家杨荫浏先生根据西安鼓乐的俗字谱成功译解《白石道人歌曲》,成为中国音乐史研究的经典范例。

除了泉州南音、西安鼓乐外,被誉为"中国音乐的活化石"之称的古老器乐艺术,还有智化寺京音乐、山西五台山佛教音乐、甘肃拉卜楞寺藏传佛教音乐等曾活跃于中国大江南北的器乐乐种,它们大都来源甚古,忠实地保存了中国传统音乐的基本风貌,为研究中国传统音乐文化的内涵与变迁提供了生动实例。它们集宫廷音乐、宗教音乐、民间音乐于一体,在曲目、乐器、宫调、演奏方法等许多方面保存着自唐宋至明清时期的大量古代音乐信息。有些乐种在今天面临失传的危险,它们的处境让人忧虑,亟待政府、学界等各方献计献策,积极展开抢救和保护工作。

原典选读

1. 古乐钟皆扁,如盒,瓦盖。① 钟圆则声长,扁则声短。声短则节,声长则曲。② 节短处声皆相乱,不成音律。后人不知此意,悉为扁钟,急叩之多晃晃尔,清浊不复可辩。③

——《梦溪笔谈·补笔谈》

2. 太子及宾客知其事者,皆白衣冠以送之,至易水上。既祖,取道。④ 高渐离击筑,荆轲和而歌,为变徵之声,士皆垂泪涕泣。⑤ 又前而为歌曰:"风萧萧兮易水寒,壮士一去兮不复还!"⑥复为慷慨羽声,士皆瞋目,发尽上指冠。于是荆轲遂就车而去,终已不顾。⑦

——《战国策》

3. 贞元中,有康昆仑,第一手。⑧ 始遇长安大旱,诏移两市祈雨。及至天门街,市人广较胜负,及斗声乐。即街东有康昆仑琵琶最上,必谓街西无以敌也。遂令昆仑登彩楼,弹一曲新翻羽调《录要》。⑨ 其街西亦建一楼。东市大诮之,及昆仑度曲,西市楼上出一女郎抱乐器,先云:"我亦弹此曲,兼

---

① 古代的乐钟都是扁形的,形如两片瓦片对合在一起。

② 钟是圆的声音长,如果是扁的,声音就短。声音短,音长就节制,声音长,余音便长。

③ 余音没有节制都相互错乱在一起,不成音律,后人却不知道这其中的奥秘,都做成扁钟,快速敲击扁钟,声音前后相混,高低轻重听辨不出。

④ 太子及宾客中知道这件事的,都穿着白衣戴着白帽为荆轲送行。到易水岸边,饯行以后,就要上路。

⑤ 高渐离击筑,荆轲和着节拍唱歌,发出变徵之声,送行的人都流泪哭泣。

⑥ 他一边向前走一边唱道:"风萧萧兮易水寒,壮士一去兮不复还!"复又发出慷慨激昂的羽调,送行的人们怒目圆睁,头发竖立好像要把帽子都顶起来。

⑦ 于是荆轲上车走了,终未回头。

⑧ 唐代贞元年间,康昆仑号称琵琶第一手。

⑨ 街东有琵琶演奏家康昆仑最优,街西无人能敌,他先登上彩楼,弹了一曲新创作的羽调《绿腰》。

移在枫香调中。"及下拨，声如雷，其妙入神。① 昆仑即惊骇，乃拜请为师。女郎遂更衣出见，乃僧也。② 盖西市豪族厚赂庄严寺僧善本，以定东鄽之胜。翊日，德宗召入，令陈本艺，异常嘉奖，乃令教授昆仑。③

——《乐府杂录》

4. 奚琴，本胡乐也，出于弦鼗而形亦类焉，奚部所好之乐也。④ 盖其制，两弦间以竹片轧之，至今民间用焉，非用夏变夷之意也。⑤

——《乐书》

5. 就中张雄更出人一头地，有客请听琵琶者，先期上一副新弦，手自拨弄成熟，临时一弹，令人尽惊。⑥ 如《拿鹅》，虽五楹大厅中，满厅皆鹅声也。⑦

——《李开先集》（下册）

6. 京师绝艺所萃，惟琵琶以李近楼为第一。⑧ 故籍锦衣当袭百户。幼以瞽废，遂专心四弦，夜卧以手爪从被上按谱，被为之穴。⑨ 其声能以一人兼数人，以一音兼数音，前辈纪之

---

① 而此时西市彩楼上出现一位女郎，怀抱琵琶说道："我也弹此曲，并把它移到枫香调中。"于是下拨，声壮如雷，其妙入神。

② 康昆仑惊叹不已，马上拜这位高手为师，谁知这位盛装女郎换衣相见，一看竟是一位和尚！

③ 原来是西市豪门贿赂长安庄严寺艺僧段善本，以锁定西市胜局。第二天，德宗召其进见，展现技艺，受到嘉奖，于是教授康昆仑琵琶。

④ 奚琴，本是胡乐，是由弦鼗发展而来，形制类似于弦鼗，是奚部所喜好的乐器。

⑤ 用竹片在两弦之间擦弦发声，至今在民间有人在使用，并非是用以夏变夷的意思啊！

⑥ 张雄的琵琶演奏出人头地，有客人想听琵琶，他先换上一副新琴弦，手指练习熟练后，随便一弹，令所有人都很吃惊。

⑦ 比如弹奏《海青拿天鹅》，在五间房子那么大的客厅中，满客厅仿佛都充满了鹅的叫声。

⑧ 北京城是绝技荟萃之地，琵琶演奏李近楼当属第一。

⑨ 年幼失明，专心于琵琶，晚上用手在被子上按谱练习，被子都被按出了洞。

者甚多。① 先人在都时，曾于席间得闻，则作八尼僧修佛事，经呗、鼓、钹、笙、箫之属，无不毕举，酷似其声，老稚高下，各各曲尽，又不杂一男音，归邸为儿辈道之。恨余幼不及从，比余再入都，则李死已久，其艺不复传。②

——沈德符《万历野获编》

---

① 他的技艺能以一人兼得几人，以一个音兼得几音，前辈人记录他的事迹很多。

② 我后悔小时没有跟他学习，等我再入京都时，他已经死了很久，其绝技已无法流传。

精英与世俗:聚焦不同阶层的音乐家

任何民族的音乐都有其自身的发展规律,中国音乐也不例外,所谓"万变不离其宗","宗"是指传统,或者说是历史发展的内在规律。当我们通过音乐历史的学习去接近这些离开我们或近或远的人与事的时候,一种内心燃烧的激情油然而生,始终能够感受到音乐的"火种"带给我们的温暖,这是历史的魅力,它不仅可以让人们增长知识,通晓文明,更重要的是它能够带给人们启迪和智慧。

上古三代的乐官与乐师

　　古文献中记载的先秦时期音乐家,大致可分原始社会与夏商时期的巫师、西周王室的乐官、春秋时期各诸侯国的宫廷乐师和战国时期的民间音乐家几种类型。《吕氏春秋·古乐篇》中记载了几位原始社会具有音乐才能的人物,如炎帝时期的士达制作五弦瑟、黄帝时期的伶伦奉命作乐律、颛顼时期的飞龙作《承云》之乐、帝喾时期的咸黑创作声歌、尧时的质奉命作乐、舜时的延做成二十三弦瑟等。这些关于乐器发明和乐舞活动的记载,虽然大都是以神话或传说的形式出现,不能作为信史,但我们从中可以依稀地看出人类幼年音乐生活的痕迹,凝聚了大量远古音乐文明的信息。

　　《尚书》中有两段关于原始时期音乐家夔的材料,分别载于"舜典"和"皋陶谟"两篇。

帝曰:"夔！命汝典乐,教胄子,直而温,宽而栗,刚而无虐,简而无傲。诗言志,歌永言,声依永,律和声。八音克谐,无相夺伦,神人以和。"夔曰:"於,予击石拊石,百兽率舞。"(《舜典》)夔曰:"戛击鸣球、搏拊琴瑟以咏,祖考来格,虞宾在位,群后德让,下管鼗鼓,合止柷敔,笙镛以间,鸟兽跄跄,《箫韶》九成,凤凰来仪。"夔曰:"於！予击石拊石,百兽率舞,庶尹允谐。"(《皋陶谟》)

这两段材料应该是后人依据传闻整理而成,显然掺杂了后世儒家理想化的音乐观。但夔在当时音乐活动中的作用以及他的音乐才能却从中可以体现。这位传说中的人物得到舜的赏识而典乐,能够在演奏磬的过程中"击石拊石",使音乐有轻重强弱的变化。他带领氏族成员在各种乐器伴奏下,尽情表演《箫韶》,酣歌狂舞,沟通人神。有意思的是,在中国古代历史上有不少名字叫夔的音乐家,如汉魏时期的杜夔、隋朝的苏夔、南宋的姜夔等,不知是一种巧合,还是因为仰慕这位传说中音乐家的缘故。

据《吕氏春秋·古乐篇》记载,夏代有位名叫皋陶的人很有音乐才能,他是舜、禹两代的重臣,受禹之命创作出乐舞《夏籥》(又名《大夏》)九个乐章,以此宣扬大禹治水的赫赫功绩。商汤时代有位名为伊尹的人奉汤之命,创作出乐舞《大濩》和歌曲《晨露》。商朝的巫术活动十分频繁,各种祭祀娱神的歌舞是活动中最为重要的内容。因此,商民族的巫师具有很高的社会地位和文化水平,能歌善舞,可以说是职业的音乐舞蹈家。商代已经开始出现精美的青铜乐器,配以神秘狂热的巫舞,能够想象商代音乐的规模和风格,正如《吕氏春秋·侈乐篇》所记载的"以钜为美,以众为观,俶诡殊瑰,耳所未尝闻,目所未尝见。务以相过,不用度量。"

西周是中国奴隶制社会的鼎盛时期,在音乐文化上创造出远超过夏商时期的辉煌，尤其是西周初年周公从政治到文化方面制定的一整套典章制度，这种礼乐制的建立及其实施对后世中国文化的影响十分深远。周朝音乐文化的繁荣与乐官制度的确立以及乐官们所从事的音乐活动息息相关。西周王室的乐师具有很高的社会地位，乐官掌管之事主要是以"六乐"祭祀天地、神灵、祖先，是国家最为神圣而隆重的大事。乐官掌管祭祀、乐舞创作、采诗、颂诗讽谏等职能，音乐教育据于核心地位。各级乐官有大司乐、乐师、大师、小师、瞽矇、磬师、𫖴师、典庸、司干等，他们分工明确、各司其职，处于鼎盛时期的西周雅乐在音乐教育与音乐表演方面的完善程度由此可见。

　　一个很有趣的现象是，西周的乐师多为盲人，如在大司乐中担任演奏和教学的"瞽矇"。大司乐中的"瞽矇"有300人之多，分为上瞽40人、中瞽100人、下瞽160人的不同等级。同时，眡瞭（扶持盲乐师者）也有300人，300个"眡瞭"扶持着300个"瞽矇"来从事音乐活动，这是怎样一种壮观的景象啊！盲人音乐家的历史可追溯到传说中的尧舜禹时代，夏代有从事音乐的乐瞽，商代的音乐机构称之为"瞽宗"，"瞽宗，殷学也。"（《礼记·明堂位》）西周的音乐机构中，盲人乐师瞽的人数占有相当大的比例，这些盲人乐师曾经活跃在宫廷的政治、宗教以及音乐生活中。他们具有一定的社会地位，只是在后来礼崩乐坏的时代背景下，瞽师们逐渐流入民间而鲜为人知。究其原因，一种推测是西周时期人们看待乐是神圣的，演奏乐器是具有强烈宗教感的行为，由盲人乐师担任郊庙祭祀典礼的奏乐，他们在黑暗的世界中更能准确地明辨音律，虔诚地领会祖先和神灵的意志。二是当时乐谱的记录方法尚未产生，利用盲人敏锐的音乐听觉和较强的音乐记忆力来保存、演奏（唱）、传授音乐。这样的传统一直延续至春秋时期。因此，西周以盲人乐师为代表的"乐官文化"和当时史官制度一起，对于缔造西周奴隶制社会文化的高度繁荣曾经作出过重要贡献。可惜，西周时期乐师的名字没有在文献中保存下来。

春秋时期，奴隶制度开始趋向衰落，"礼崩乐坏"是周代社会上层建筑全面崩溃瓦解的标志。天子至高无上的权力和地位遭遇到各国诸侯的挑战，礼和乐都不再有昔日的约束力。曾经是"溥天之下，莫非王土；率土之滨，莫非王臣"的周天子地位一落千丈，不但丧失了控制诸侯的能力，反而常常被人利用，所谓"挟天子以令诸侯"。在音乐文化方面，各诸侯国的音乐迅速发展起来，不再是由周王室独自垄断的局面，历史上把这种现象称作"文化下移"。春秋时期各诸侯国的宫廷乐师，文献中有较多记载。

师旷（活动年代约公元前 572 年—前 532 年）是春秋时期晋国著名乐师，生活在晋悼公、晋平公执政的时期。他善于弹古琴，具有高超的演奏技艺。《韩非子·十过》中记载了师旷能够用琴声表现自然界风雨雷电的音响，描绘飞鹤的优美姿态与鸣叫，具有灵敏的音乐听觉，精于调律，有极强的辨音能力。他是一位盲人音乐家，自称"瞑臣""盲臣"，不仅精通音乐，而且具有丰富的生活阅历和敏锐的政治见解。《吕氏春秋·长见》中有段文献记录了晋平公与师旷关于铸钟调音的谈话："晋平公铸为大钟，使工听之，皆以为调矣。师旷曰不调，请更铸之。平公曰：'工皆以为调矣。'师旷曰：'后世有知音者，将知钟之不调，臣窃为君耻之！'至于师涓而果知钟之不调也。是故师旷欲善调钟，以为后世之知音者也。"晋平公铸造的大钟，乐工都说音很准。而师旷认为钟音没有调准，于是直言相告，晋平公不以为然，到后来经卫国乐师师涓证实，果真音不准。师旷敢于直谏、刚正不阿的个性从这个故事里充分体现出来，在后世的中国古代文献中，人们常用师旷来指代听力超群、音感敏锐的人。

师襄，是春秋时期卫国的乐师，据说当时鲁国也有一位名为襄的乐师，曾以击磬为职业。卫国的师襄是孔子的古琴老师，孔子到卫国时，曾向他学弹古琴曲。《韩诗外传·卷五》和《史记·孔子世家》都记载了孔子向师襄学习古琴曲《文王操》的历史故事。孔子对音乐的学习由技术入手，再深入于技术背后的文化，进而深入把握此精神拥有者的人格，从中可以看出一个伟大思想家的艺术活动过程。从"得其曲"（熟悉乐曲曲调）、"得其数"（反复练习技巧），到"得其意"（领会内容和情感）、"得其人"（塑造形象），再到"得其类"（体会音乐境界）。孔子认识到"曲"与"数"，是技术上需要解决的问题，从"意"到"人"再到"类"，逐渐提升深入到琴乐精神与文化的深层次。

还有一位春秋时期郑国的乐师师文，《列子·汤问》记载他学琴三年不成，当老师劝说他回家时，师文却说出一段富有哲理的话，他认为自己内心还没有音乐，自然便无法用手指在琴弦上表达出来。师文关于"内得于心，外应于器"的器乐学习体会，也是我们现在常用的成语"得心应手"历史典故的由来。

春秋战国时期有不少出色的音乐家服务于各国国君和贵族之家，成为各诸侯国的乐师，他们在音乐艺术的传播和提高方面功不可没。春秋时期冠以"师"称的宫廷乐师，他们在"天子失官"的情况下，使得"官学在四夷"，保存了周朝传统文化，为促进各诸侯国宫廷音乐发展作出了贡献。战国时期，中国开始进入了封建社会，形成齐、楚、燕、赵、韩、魏、秦七个大国争霸的局面。由于社会性质发生了重大变化，音乐发展潮流摆脱了那种为宫廷王室所左右的局面，向更加广阔的民间渗透。相对于春秋时期以"师"为首的音乐家名字，战国时期出现了许多有名有姓的专业音乐家，如善弹琴的伯牙，歌唱家秦青、韩娥，善击筑的高渐离等。因此，具有时代特色的民间音乐家纷纷登上历史的舞台。

这一时期各地的民间音乐十分丰富，如文献中记载齐国的音乐，"临淄甚富而实，其民无不吹竽鼓瑟、击筑弹琴、斗鸡走狗，六博蹋鞠者。"成语"滥竽充数"的来历也与音乐活动有关，"齐宣王使人吹竽，必三百人。南郭处士请为王吹竽，宣王说之。宣王死，湣王立，好一一听之，处士逃。"齐宣王喜爱听大规模的竽合奏，南郭先生混在乐队中吹竽充数；而齐湣王即位后，其音乐审美观有所变换，他喜欢欣赏竽独奏的形式，南郭先生便无处立身，狼狈逃离了。由此可见，当时竽的演奏已经有合奏和独奏不同的形式。吹管乐在山东民间历史悠久，这种传统或许在战国时期便有了可溯之源。

楚国的民间音乐也十分发达，《列子·汤问》记载了楚襄王与宋玉的一段对话，今天我们常用"阳春白雪""下里巴人""曲高和寡"这些成语比喻艺术作品的高雅和低俗，其由来便与发生在楚国都城郢的这次歌唱活动有关。雅俗关系的问题从古至今都一直存在，在当今的音乐生活中我们也会经常讨论这些话题。其实评价音乐艺术高低的标准并不在于是雅还是俗，而是在于它是否能够打动人们的心弦，是否能够带给人们心灵的愉悦和精神的满足。

文献中记载了许多战国时期各诸侯音乐活动的生动事例，各国宫廷以及民间乐师在演唱、演奏方面具有高超的音乐技能。如"声振林木，响遏行云"的歌唱教师秦青、"余音绕梁，三日不绝"的民间歌女韩娥以及伯牙和钟子期"高山流水遇知音"的故事。

秦青，是一位以教人唱歌为职业的歌手。学生薛谭还未学会老师秦青的歌唱技艺便要辞别回家,自以为没什么可学的了,秦青并未直接劝阻他,而是在郊外为他设宴送行,打着节拍,高唱悲歌。响亮的歌声震得林木哗哗作响,天上飘着的云彩似乎也停下来倾听。薛谭感到很惭愧,于是向老师道歉要求回去继续学习,没有再提回家的事。《列子·汤问》记载:"薛谭学讴于秦青,未穷青之技(而辞归),自谓尽之,遂辞归。秦青弗止,饯于郊衢。抚节悲歌,声振林木,响遏行云。薛谭乃谢求反,不敢言归。"这段文献描述了秦青高超的歌唱技艺,也反映出他作为一名歌唱教师在教学中启发和示范作用所起到的良好效果。《列子·汤问》还记载了一则韩国的民间歌手韩娥的故事,她以"唱情"著称,曾经在齐国临淄卖唱,"余音绕梁,三日不绝"是人们对其美妙歌声的形容。

伯牙,是战国时期一位出色的古琴家。他的老师成连先生当年曾用"移情法"使伯牙弹琴达到精妙的境界。唐代刘餗在《乐府解题·伯牙操》记载了这个故事,"成连善弹琴,伯牙从之学,三年而成,然犹未能精妙也。成连曰:'吾师方子春在海中,能移人情。'乃偕至蓬莱山,曰:'吾将迎吾师。'乘船而去,旬日不返。伯牙但闻海水汩没崩嘶之声,山林杳寂,群鸟悲号,苍然叹曰:'先生将移我情。'乃援琴而歌之。曲终,成连乘船还。伯牙遂为天下妙手。此曲即名《水仙操》。"成连先生把伯牙带到了蓬莱海边,想借助自然界环境的改变,引起伯牙思想情感的变化,产生创作的灵感。伯牙没有辜负老师的良苦用心,把从自然界"海水汩没""山林杳寂""群鸟悲号"中体会到的情感融入到琴曲学习中,最终成为天下妙手。这个故事告诉我们,表演艺术的确要建立在丰富的生活体验基础上,才能够达到艺术的高境界。在两千多年前的战国时期,成连先生与弟子伯牙的移情理论也给当代的器乐演奏带来深刻启发。这段文字相传出于东汉蔡邕《琴操》

的佚文中，相去伯牙的生活时代尚还不远，可以认为是比较真实可信的记录。成连先生的"移情法"不是建立在生活之外玄妙的观念基础上的，而是建立在特定的生活环境基础上的；他不是用抽象的理性思维去改变伯牙的思想感情，而是借助生活环境的改变，引起伯牙思想感情的改变而深化。伯牙到了蓬莱海边，面对辽阔的海面和神秘的山林，黎明、黄昏、日落、月出，各种自然景色不断变化，使伯牙进入一个全新的广阔而丰富的精神世界。这则故事说明远在两千多年前的战国时期，琴家们已经认识到古琴艺术不光是用技法去演奏音乐，还必须建立在自身真实生活体验的基础上，通过切身的感受去领悟音乐的真谛。

《吕氏春秋·本味》记载了琴家伯牙和樵夫钟子期通过音乐结为"知音"的故事，千百年来被人们传为美谈，这种心有灵犀的默契，也成为后世演奏者与欣赏者所希望达到的艺术交流的至高境界。《流水》是当代人们最喜爱的古琴曲之一，曲谱最早见于明代朱权编印的《神奇秘谱》。其中《流水》与《高山》是同一个题解："《高山》《流水》二曲，本只一曲。初，志在乎高山，言仁者乐山之意。后，志在乎流水，言智者乐水之意。至唐，分为两曲，不分段数。至宋，分《高山》为四段，《流水》为八段。"这段话清楚地表明《高山流水》本来是一首乐曲，到唐代传谱分为两曲，没有分段落。到了宋代逐渐分成《高山》和《流水》两首乐曲，分别是四段和八段。此后刊载《流水》的琴谱基本保持八段的曲体结构，直到清代咸丰至光绪年间，川派琴家青城山道士张孔山在原来第五、六段之间增加了一段，以大量滚、拂的手法，模拟水流之声，形象地描绘出汪洋浩瀚、急湍奔流的气势，成为全曲中最为精彩的部分，这一版本后来逐渐被琴界认可，也就是今天琴家们俗称的"七十二滚拂流水"或"大流水"，因此张孔山对原有《流

水》的改编和加工对这首乐曲的传播贡献很大。1977 年 8 月
20 日，美国"航行者"太空船进入太空，希望有一天能够遇到
地球以外的生物，上面载有一张铜唱片，其中 120 分钟的节
目有四分之三是音乐，古琴曲《流水》入选了 27 段音乐之中。
推荐者认为这首乐曲描写的是人的意识与宇宙的交融，它能
够代表中国音乐的精神和气韵。进入 21 世纪以来，随着古
琴艺术在 2003 年入选联合国"人类口头和非物质文化代表
作"，不论政府官方还是民间层面都对古琴艺术重视起来，昔
日寂寞的"泠泠之音"也迎来新的发展机遇。

汉魏时期的文人音乐家

魏晋时期政事多变、社会动荡,门阀士族经常被卷入无情的政治漩涡,命运朝不保夕。在这样的社会环境中,一些官场失意的文人寄情于音乐、酒、炼丹和玄学,产生一批在历史上影响深远的士人群体,他们在特定的历史时期超越职业的乐官、乐工而显名乐坛,也并不是偶然的现象。他们是中国古代文人音乐家中的佼佼者,如蔡邕、蔡琰父女,阮瑀、阮籍父子,嵇康、嵇绍父子等。在他们身上集中了很多相似的特点:其一,他们大多在古琴艺术上有深厚的造诣,有的擅长创作琴曲,有的精于古琴演奏,有的兼及琴学理论著述。比如蔡邕的"蔡氏五弄";阮籍创作的琴曲《酒狂》和琴论《乐论》;具有很高古琴艺术造诣的嵇康及其音乐美学著作《声无哀乐论》。其二,他们大多出身于音乐世家,秉承着家族的文化传统。蔡邕是东汉著名学者、音乐家,他的女儿蔡琰"博学有才辩,又妙于音律";阮氏家族中阮瑀、阮籍、阮咸、阮瞻等数代人皆精通音律。其三,他们中有一部分是魏末清谈玄学的代表人物,也是魏晋风度①的体现,世称"竹林七贤"②。

江苏省南京市西善桥发现的南朝宋后期大墓内的画像

---

① "魏晋"通常泛指自东汉末年至刘宋建立这一时期,时间跨度约两百年。1927年鲁迅在广州做了题为《魏晋风度及文章与药及酒之关系》(后收入《而已集》)的演讲,此后人们习惯以"魏晋风度"来形容那个时代所独有的名士风范。

② 魏晋之际,嵇康、阮籍、山涛、向秀、刘伶、王戎及阮咸七人常聚在当时的山阳县(今河南辉县、修武一带)竹林之下,喝酒、炼丹、弹琴、纵歌,"弃经典而尚老庄,蔑礼法而崇放达",世谓"竹林七贤"。

砖《竹林七贤与荣启期》，分布在墓室东西两壁。画面分别刻画了竹林七贤各自不同的的性格特点，如嵇康手挥五弦、目送飞鸿，阮籍口作啸状，王戎如意舞，刘伶醉酒，向秀沉思，阮咸弹阮咸等，都生动地表达各人不同的爱好和典型的神情。其中阮籍和嵇康是这一时期文人音乐家的杰出代表。

南京西善桥南朝墓"竹林七贤"砖画像局部

阮籍（210—263），字嗣宗，陈留尉氏（今属河南）人。三国时代魏末文学家、思想家、音乐家。出生于音乐世家，其父阮瑀是文坛"建安七子"之一。曾任步兵校尉，世称"阮步兵"。阮籍在政治上倾向于曹魏王室，对司马氏集团怀有不满，但同时又感到世事已不可为，于是他采取不涉是非、明哲保身的态度，或者闭门读书，或者登山临水，或者酣醉不醒，或者缄口不言。晋文帝司马昭欲为其子求婚于阮籍之女，阮籍一连60天喝得酩酊大醉，使司马昭没有机会开口，遂作罢。"喜怒不形于色""口不臧否人物"等行为都是对他处世态度的形容。掌权的司马集团很想拉拢他，但阮籍和司马集团总是若即若离。因此，司马氏对他采取容忍态度，对他放浪佯狂、违背礼法的各种行为不加追究，最后得以终其天年。史料记载阮籍本来有济世之志，但生活在魏晋之际，多事之秋，名士极少有保全性命者，所以阮籍便不参与世事，整日酣饮。阮籍代表了当时在司马氏集团统治下，士大夫们为免遭杀戮，隐居山林，弹琴吟诗，借酒佯狂，以洁身自保的生存状态。

《神奇秘谱》解题中记载，古琴曲《酒狂》是阮籍的感怀之作，作品反映的正是魏晋时期特定的历史环境中，士大夫阶层的精神和情感。他们大都崇尚老庄之学，对社会现实有着无比清醒的认识。然而，由于身处乱世，虽有济世报国之大才，却没有值得辅佐的明主，只好用形骸放浪、不拘小节的行为来掩饰内心的痛苦，用不合事宜的言行来表达对朝政的不满。他们放纵情感，无拘无束，借助不同常人的处世方式表达着对苦难社会的关注与无奈。古琴家姚丙炎先生以《神奇秘谱》的《酒狂》谱为蓝本，又参照《西麓堂琴统》谱整理打谱，把乐曲巧妙地处理成在古琴乐曲中罕见的 6/8 拍。由于弱拍常出现沉重的低音或长音，造成音乐的不稳定感，表现了人在醉酒后深一脚浅一脚的踉跄神态，其实是用这种"狂"来泄发内心积郁的不平之气。朱权《神奇秘谱》中的解题为我们了解这首乐曲的中心思想提供了重要依据。乐曲采用主题略加变化反复的创作方式，是将调式主音和属音等稳定音作为每拍首尾的支点，中间嵌入大跳音程，造成节拍轻重颠倒的效果，刻画出饮酒者醉意朦胧，步履蹒跚的神态。曲首两小节的节奏型通贯全曲，乐曲结束段有"仙人吐酒声"的文字提示。该曲结构短小严谨，寓意深刻，是一首不可多得的优秀古琴曲目。

嵇康（223—263），字叔夜，"竹林七贤"的领袖人物。三国时代魏末著名的文学家、思想家和音乐家。他为人耿直，气度不凡，提出了"非汤武而薄周礼""越名教而任自然"的主张，是当时玄学家的代表人物之一。在曹氏当权的时候，做过中散大夫的官职。司马昭曾想拉拢嵇康，但嵇康在当时的政治斗争中倾向皇室一边，对于司马氏采取不合作态度，因此颇招忌恨。司马昭的心腹钟会想结交嵇康，但受到他的冷遇，从此结下仇隙。嵇康卓越的才华和逍遥的处世风格，最终为他招来了祸端。嵇康的友人吕安被其兄诬以不孝，嵇康出面为吕安辩护，钟会即劝司马昭乘机除掉吕安和嵇康，其罪证之一便是《与山巨源绝交书》①。其实，嵇康写《与山巨源绝交书》在某种意义上是为了更好地保护自己的好朋友，有了这封绝交书，就不会因为自己不配合当权者的态度而连累到好友。所以后来嵇康被杀害，临刑前将自己的儿女托付给山涛，留言："巨源在，汝不孤矣。"嵇康死后，山涛一直悉心照料并抚养着他的儿女。

公元263年，统治者司马昭下令将嵇康处以死刑。在刑场上，有三千太学生向朝廷请愿，请求赦免嵇康，并要拜嵇康为师，向全社会昭示了嵇康的学术地位和人格魅力，但终未被当权者接纳。嵇康要来一张古琴，在高高的刑台上，面对成千上万前来为他送行的人们，弹奏了最后的《广陵散》，从容地引首就戮，时年仅40岁。史料有"康将刑东市，太学生三千人，请以为师，弗许。康顾视日影，索琴弹之，曰：'昔袁孝尼尝从吾学《广陵散》，吾每禁固之。《广陵散》于今绝矣！'时年四十。海内之士，莫不痛之。"从此"广陵散"三个字便成为某种失传事物的代名词。南京西善桥南朝墓出土画像砖描绘了嵇康席坐抚琴，气宇昂轩的形象。

嵇康除在文学上取得的重要成就外，还在音乐方面为后

---

① 《与山巨源绝交书》，是嵇康写给朋友山涛（字巨源）的一封情真意切，但文辞激烈的信，也是一篇名传千古的著名散文。这封信是嵇康听到山涛在由选曹郎调任大将军从事中郎时，想荐举他代其原职的消息后写的。嵇康在信中拒绝了山涛的荐引，指出人的秉性各有所好，申明他自己本性疏懒，不堪礼法约束。他强调放任自然，表现出对世俗礼法的蔑视和对老庄思想的推崇。

人留下了宝贵财富。嵇康创作《长清》《短清》《长侧》《短侧》四首琴曲,被称为"嵇氏四弄",与蔡邕创作的"蔡氏五弄"合称"九弄",是我国古代一组著名琴曲。隋炀帝曾把弹奏《九弄》作为取士的条件之一,足见其影响之大、成就之高。他在音乐理论上也有独到贡献,代表作是《琴赋》与《声无哀乐论》。《琴赋》是一篇深刻而富有诗意的琴论,表达出嵇康对古琴和音乐的理解以及与传统儒家思想相左的看法。嵇康自幼喜爱音乐,他在《琴赋》序中自述其对古琴艺术的酷爱。嵇康对传统及当时的琴曲都非常熟悉,文中提到许多琴曲作品,包括传说中师旷演奏的《白雪》《清角》,以及古代的《渌水》《清徵》《尧畅》《微子》等曲目,还记录了当时流行的琴曲《蔡氏五弄》《王昭》《楚妃》《别鹤》等。《声无哀乐论》一文集中体现了嵇康的音乐美学思想,与他当时主张"越名教而任自然"的思想相一致,是作者对儒家"音乐治世"思想直接而尖锐的批判。

魏晋名士追求的是一种艺术化的人生,这种不同于常人的放任、旷达、率真,是个人的真实处境与心境的流露。由于残酷的政治迫害和生命的命悬一线,使得他们对命运充满了无尽的忧虑、恐惧和哀伤。无论是像阮籍一样顺应当时政治环境以求得性命的委曲求全,还是如嵇康一般轻视世俗、蔑视礼教,以生命为代价换来精神的自由和洒脱,实际上他们的情感都处于一种异常焦灼而矛盾的状态之中。魏晋士人们崇尚自然,寄情山水,他们厌倦了政治的黑暗与残酷,希望精神上不受外物的牵累,强调个性的真实与自由。同时,他们把对政治理想的绝望转向对文学和艺术的追求,寻求精神上的解脱。在这样独特的历史背景下,魏晋时期的文学、绘画、书法等艺术门类都不同程度地表现出空前繁荣的景象。

中国古代的文人阶层对于古琴音乐贡献极大,他们中的很多人在琴史上闪耀的光芒丝毫不逊于他们在文坛上取得的成就。比如春秋时期的先贤孔子、东汉学者蔡氏父女、魏晋"竹林七贤"中的阮籍和嵇康、东晋末年的陶渊明、中唐诗人白居易、北宋大文豪苏轼等都是其中的代表人物。他们精通音乐,但并不是现代意义上的职业音乐家,他们不以音乐演奏或创作为谋生的手段,但音乐却是他们生命中不可或缺的精神追求。可以说他们是文人中的音乐家,是音乐家中的文人,其艺术造诣及成就是他们深厚文化修养的体现。正是因为有了这些文人士大夫们对古琴艺术的热爱,才使得中国古代音乐文化中最具特色的琴学传统永载史册。

隋唐时期的音乐家

　　隋唐时期是中国历史上音乐文化和歌舞艺术分外璀璨的时代,也是中国古代音乐史上人才辈出的时代,正是他们的智慧和才华造就了这一时期音乐文化的高度成就。尤其是唐朝音乐的繁荣与大批杰出音乐家的艺术创造密不可分,他们是一群受过专业训练的音乐家群体,他们的音乐活动反映了唐代社会丰富而发达的音乐面貌,缔造出中国封建社会无与伦比的音乐盛世。在封建社会,他们的身份除了少数是文人、乐官,出身贵族之外,大多数是处于社会下层的乐工、乐伎,地位低微,命运悲苦。庆幸的是,他们中的一些人和事相对其他朝代较多地记载于史册中,因此唐代音乐家也是历史上留下姓名与业绩最多的一个群体,今天我们能够透过一段段文字领略到一千年前音乐家们的性格、气魄与风采。隋唐音乐史料中着墨较多的是歌唱家和器乐演奏家,如永新、念奴、张红红、康昆仑、段善本、李龟年、贺怀智、李管儿、曹纲、尉迟青、王麻奴……

　　万宝常是一位在隋代被誉为"识音人"的大音乐家。郭沫若先生在《隋代大音乐家万宝常》一文中推算其生平,大致生于梁元帝四年左右,死于隋开皇十二年(约公元 555 年—592 年)。万宝常之父万大通原在南朝梁国任职,随梁大将王琳投奔北齐,王琳抗陈战死,宝常之父意欲返回南朝而被北齐诛杀。按北齐法规,当时还不满 10 岁的万宝常被"配为乐户",从此成为地位卑微的乐工。他跟随北齐音乐家祖珽(字孝徵)学习,祖珽的父亲祖莹亦精通音律,还制造过钟、磬、管、弦等乐器。万宝常在音乐方面有惊人的才华，他深通音律、擅长演奏多种乐器。北周灭北齐后，他成为北周的乐工，后来杨坚登基，改国号为隋，万宝常又成为隋朝宫廷的乐工。《隋书·万宝常传》记载了万宝常的出身及学习音乐的经历。在封建社会，这样一位乐户身份的人却能留名青史，足可见其音乐造诣之高、音乐活动之广。他一生历经四朝，晚年命运十分悲惨，"宝常贫无子，其妻因其卧疾，遂窃其资物而逃。宝常饥馁，无人瞻遗，竟饿而死。将死也，取其所著书而焚之，曰：'何用也！'为见者于火中探得数卷，见行于世。时论哀之。"最后在贫病交加中死去，让人唏嘘不已。

永新是唐代开元年间（713—741）著名的宫廷歌手，原名许和子，吉州永新县（今江西吉安市）人。据段安节《乐府杂录》记载，"开元中，内人有许和子，本吉州永新县乐家女也。开元末选入宫，即以永新名之，籍宜春院，既美且慧，善歌，能变新声。韩娥、李延年殁后千余载，旷无其人，至永新始继其能"。永新出身乐家女，开元末被选入宫，便以永新之名来称呼她，属宜春院的内人。她美貌聪慧，尤其善歌，而且能创作新曲。她的歌声与"余音绕梁，三日不绝"的韩娥、"每为新声变曲，闻者莫不感动"的李延年相比，也毫不逊色。其歌声有很强的穿透力，"喉啭一声，响传九陌"，"明皇尝独召李谟吹笛遂其歌，曲终管裂，其妙如此"，唐明皇曾让笛子名手李谟吹笛为永新伴奏，曲终笛管竟然爆裂。在《乐府杂录》的同一则史料中，还记载着一次唐玄宗在勤政楼宴请百官，观者成千上万，人多言杂，围聚喧哗，淹没了歌舞百戏之声。玄宗大怒，要罢宴退席。太监高力士向玄宗建议，让永新出场演唱，定可止住嘈杂之声。玄宗同意，只见永新缓缓登楼，观众顿时鸦雀无声，好像寂静的广场空无一人，大家都沉浸在她美妙的歌声之中。由此可见永新歌声的确具有极强的感染力，使"喜者闻之气勇,愁者闻之肠绝"。

何满也是一位开元年间的歌手,有相当高超的歌唱技艺。据说他传唱的歌名即《何满子》,白居易作《何满子》一诗,诗中叙述何满临刑前进献此曲希望能免去死罪,但未获允许。后来这首声调哀愤,令人断肠的乐曲在民间广为传唱。在封建社会像何满这样的歌手社会地位十分卑微,是生活在社会底层的"贱民",尽管他们才华横溢,但终将无法逃脱为王公贵族声色享乐的厄运。

念奴是天宝年间(742—756)的著名歌手,被赞誉为"宫伎中第一",有一天宫中设宴招待宾客,人声鼎沸,难以控制,念奴奉命出场演唱,并由 25 人吹小管为其伴奏,歌声、笛声相互追逐,美妙无比。诗人元稹将此情此景写入《连昌宫词》一诗中:"力士传呼觅念奴,念奴潜伴诸郎宿。须臾觅得又连催,特赦街中许燃烛。春娇满眼泪红绡,掠削云鬟旋装束。飞上九天歌一声,二十五郎吹管逐。"念奴色艺双全,其声名一直传至后世,相传词调《念奴娇》由此而得名。

张红红是大历年间(766—779)的歌手,声音优美动听,并且有惊人的音乐记忆力。她因为对听过的音乐过耳不忘,人们都称她为"记曲娘子"。曾经有一位乐工在古曲《长命西河女》的基础上,变换各种节奏,颇有新意。在进献皇帝之前,想先征求韦青①的意见,就唱给他听。韦青知晓他的来意后,决定跟他开个小小的玩笑,命红红藏在屏风后偷听,在乐工唱的同时用小豆记下节拍。等乐工歌罢,红红已准确无误地掌握了全曲。韦青对乐工说:"你这首歌曲并非新作,我有一位女弟子,早就会唱此曲。"红红便隔着屏风演唱,一曲完毕,没有丝毫错误。这件事情在当时引起了很大

---

① 韦青是唐代大历年间一位文人出身的武将,精通音律,擅长歌唱。

轰动，不久张红红被召入宫廷教坊的宜春院，很快封她为"才人"。

音乐表演的最高境界是声情并茂，如行云流水，演奏或演唱技巧融入到情感的表达中，"唱情"才是表演者追求的目标。正如唐代诗人白居易在《问杨琼》诗中提到一位名为杨琼的歌唱家："古人唱歌兼唱情，今人唱歌唯唱声。欲说问君君不会，试将此语问杨琼。"理论的总结来自于实践的积累，唐代歌唱艺术的繁荣也使得声乐理论进一步发展，以《乐府杂录》的史料为例，"善歌者必先调其气，氤氲自脐间出，至喉乃噫其词，即分抗坠之音。既得其术，即可致遏云响谷之妙也。"此段文字言简意赅地指出气息在歌唱中的重要作用，演唱者只有合理地调整呼吸，才能使声音响亮而传得远。"氤氲"一词用在这里指自然通畅的呼吸，这是唐代人从歌唱实践中归纳出的演唱方法，相信当时众多歌唱家的出现绝非偶然，而是在这种科学方法训练下产生的。

唐代是一个西域乐器和汉族传统乐器碰撞、交汇的时代，以琵琶、筚篥、古琴为代表的各种独奏、伴奏乐器获得极大发展，可谓高手林立、大师云集，涌现出一大批优秀的器乐演奏家，在中国古代音乐史上写下浓墨重彩的一笔。琵琶是唐代广泛用于歌舞、曲子、说唱等艺术形式的一件乐器，唐代琵琶名手灿若繁星。《乐府杂录》记载了琵琶演奏家段善本与康昆仑以演奏技艺决胜负的故事，历来为人们津津乐道。琵琶演奏艺术在唐代得到长足发展，除康昆仑和段善本之外，有被时人称为"曹纲有右手，兴奴有左手"的曹刚、裴兴奴；有善用"铁拨弹"琵琶的贺怀智；有"曲目无限知者鲜"，被形容为"风雨萧条泣鬼神"的李管儿；用生命捍卫尊严的梨园乐工雷海青等一大批杰出的琵琶手，他们把这件外来乐器的演奏技艺推到一个前所未有的境地，也使琵琶艺术迎来历史上第一个高峰期。

筚篥自西域传入内地后,至唐代已盛行于宫廷和民间,出现许多著名的筚篥演奏家,如安万善、尉迟青、李龟年、张野狐、王麻奴、薛阳陶等。王麻奴与尉迟青竞奏筚篥的故事也与段善本和康昆仑的故事有异曲同工之妙。大历年间,被称为"河北第一手"的幽州吹奏家王麻奴,自恃才高,以为海内无敌手。当听说来自西域的尉迟将军吹奏筚篥"冠绝古今"时,心中不服,决定与之比试。他在京城尉迟青家附近,终日卖弄吹奏,但尉迟将军好像没听见一样。王麻奴终于按捺不住了,上门求见。他先在高般涉调上吹了一支《勒部羝曲》,乐曲终了,已是汗流浃背。尉迟青则用平般涉调轻松吹奏一遍,王麻奴自愧不如,流泪道歉,发誓不再吹奏筚篥。

开元年间有位西域安国的乐师安万善,在京城吹奏筚篥很有影响力。一个除夕之夜,诗人李颀等聚在一起饮酒,安万善为之吹筚篥助兴,婉转悠扬的乐声使众人为之痴迷。李颀诗兴大发,当即挥毫写下一首《听安万善吹筚篥歌》,形象地描绘出筚篥的悲凉音色以及安万善极具感染力的吹奏,时而如龙吟虎啸,时而如黄云失色,转为变调后又会使人感到春意盎然,似百花盛开。当年的长安城还有像薛阳陶那样技艺精湛的乐童,白居易的长诗《小童薛阳陶吹筚篥歌》表达出诗人听筚篥时的种种感受。由此可见,筚篥在唐代受到社会上各阶层人们的喜爱,从西域到中原,上至达官贵人,下到庶民百姓都有擅长演奏筚篥的名手。

唐代音乐家的事迹散见于很多史书中,其中见证着历史的同时代人的著述是十分珍贵的文献资料。例如前文引用的很多生动的故事来自唐代崔令钦撰写的《教坊记》、段安节撰写的《乐府杂录》等。

在中国传统音乐的多个类别中,文人音乐无疑是一个独特的音乐文化现象，它以文人音乐家为主体，在今天传统音乐的分类上可以与民间音乐、宫廷音乐和宗教音乐并列，但在音乐本体和传承上，几种类别相互间又有复杂的关联。历史上，文人群体曾经广泛参与和创作古琴音乐、词调音乐、戏曲音乐等多种音乐形式，文人音乐的历史可以推溯自春秋时期的孔子学习音乐起，汉末魏晋时期是文人音乐得到发展的时期，其标志是一批以蔡邕、阮籍、嵇康等为代表的文人音乐家的出现，标志是他们创作和演奏的琴乐作品，如《酒狂》《广陵散》，还有他们记录、赞美和讨论古琴音乐的文字，如蔡邕的《琴操》、嵇康的《琴赋》等。由于南北朝以来西域音乐和文化的影响，唐代文人音乐呈现出不同于前代的特点，其内涵也更为丰富。唐代文人音乐最具代表性的形式是琴乐和诗乐。唐朝文人大多具有深厚的文化修养，爱好音乐成为一种普遍的社会风尚，有的甚至可称之为真正的音乐家。

古琴是唐代文人们在友朋往来的社会生活中的一项重要内容，唐代诗人对古琴的发展有十分重要的推动作用，诗人的参与促进了古琴理论研究和古琴音乐创作的进一步发展，同时，古琴音乐也为后人研究唐诗和诗人提供了大量的参考依据。唐诗中的琴诗是研究古琴音乐的珍贵资料，唐代许多"弹琴家"是文人琴家，古琴在文人们的音乐生活中据有重要的地位。唐诗中与音乐有关的诗歌以咏琴诗最多，李白、岑参、白居易、元稹、张籍、韩愈、曹邺、陆龟蒙、僧皎然、道士吴筠、女道士李季兰等，都有咏琴诗作传世。如李白的《听蜀僧濬弹琴》"蜀僧抱绿绮，西下峨嵋峰。为我一挥手，如听万壑松。客心洗流水，余响入霜钟。不觉碧山暮，秋云暗几重。"白居易（772—846）是一位深谙音乐之道的文人，他有着极高的音乐鉴赏力。《全唐诗》中载有白居易诗篇 2800 余首，其中涉及音乐方面的诗作约 330 首，许多均为脍炙人口的名篇。他在诗歌中透露出的音乐信息反映出中唐时期社会音乐生活的各个侧面。

唐诗中有许多可以入乐歌唱的诗歌,后人称作"唐声诗"。他们实际上是唐代的艺术歌曲,无论是诗歌还是音乐都有很高的艺术价值。在唐代,诗歌入乐歌唱成为当时流行的风尚,李白、王维、王昌龄、刘禹锡等许多诗人的名作被谱入乐曲中,甚至在贵族文人的宴会上争相传唱,迅速传播。如史料记载:"每一篇成,乐工争以赂求之,被声歌,供奉天子。"《阳关三叠》是唐代最为流行、传唱最久的一首声诗作品,它最初由著名诗人、音乐家、画家王维①的诗歌《送元二使安西》一诗谱曲而成,诗歌原文是"渭城朝雨邑轻尘,客舍青青柳色新。劝君更尽一杯酒,西出阳关无故人。"因其诗中有"阳关""渭城"的字句,又名《渭城曲》《阳关曲》,"三叠"是指同一个曲调反复叠唱三次。目前所见《阳关三叠》以边弹古琴边吟唱的琴歌形式保存下来,全曲共分三大段,用一个基本曲调将原诗反复咏唱三遍。每叠又分前后两段,后段为新增歌词。前段开始加了一句"清和节当春"作为引句,其余均用王维原诗。后段是新增的歌词,每叠都不相同,带有副歌的性质,分别渲染了"宜自珍"的惜别之情,"泪沾巾"的忧伤之情和"尺素中"的期待之情。旋律以五声商调式为基础,音调纯朴而富于激情,特别是后段"遄行,遄行"等处的八度跳进,和"历苦辛"等处都多次反复,情意真切,充分表达出作者对即将远行的友人无限关怀和思念之情。

唐宋时期的《阳关三叠》已有不同传谱,今存明、清时期的琴谱中有 30 余种《阳关三叠》的版本,词和曲多有不同,有

---

① 王维(?—761),字摩诘,精通音乐,擅长弹奏琵琶。有一次岐王李隆范让他装扮成乐工见太平公主,演奏琵琶曲《郁轮袍》,其音调悲切,令在场所有人为之动容。

的差异甚大。现流传最广的谱本原载明代《发明曲谱》（1530年），后经改编载于清代琴家张鹤编撰的《琴学入门》（1867年），该谱与明代万历年间杨抡《太古遗音》（1609年）中的传谱曲调基本相同，歌词已发展成包括长短句的多段作品。因此，现在流传的《阳关三叠》至少是有三四百年历史的古琴作品，是我国古代音乐作品中的精品。

宋元明清时期的音乐家

宋元至明清,中国经历着以俗乐为代表的音乐历史新时期。这一时期的音乐家们生活在不同的社会层面,他们在词调、古琴、说唱、戏曲、乐律学等领域作出了划时代的贡献,他们之中有为宋词谱曲的姜夔、有浙派古琴的开创先师郭沔、有说唱艺术的杰出艺人孔三传和张五牛等,还有戏曲音乐的改革者魏良辅以及在乐律史上具有国际声誉的乐律学家朱载堉。

唐诗、宋词、元曲是代表着一个时代文化高度发达的艺术形式,它们不仅是文学体裁,而且和音乐有着紧密的联系。尤其是宋词,即宋代曲子词,是音乐和文学高度结合的艺术,许多留存于世的宋词作品都伴随着动人的音乐孕育而出。这种以长短句为特点的曲子词,在盛唐前便已产生,唐代诗人白居易、元稹等都填过不少词作,但保留下来的很少。因为当时文人填词还是一种新鲜的创作方式,在文人圈中还没有形成普遍的风气。这种体裁经过五代时期的发展,至宋朝达到顶峰。南宋人王灼在《碧鸡漫志》一书中写道:"盖隋以来,今之所谓曲子者渐兴,至唐稍盛。今则繁声淫奏,殆不可数。古歌变为古乐府,古乐府变为今曲子,其本一也。"大致概括了这一新兴的歌曲形式渐兴于隋、稍盛于唐、盛行于宋的历史发展进程。从《诗经》《楚辞》中的古歌发展到汉魏时期的乐府诗辞,再演变为唐宋时期的曲子词,它们的音乐性质一脉相承,都是歌唱形式的作品。

曲子词是依照乐曲的韵律所填写的长短句体的歌词,这种长短句形式的乐曲称为"词调"，因此"依声填词"是曲子词的第一个特征。相对于历史上的齐言歌曲，人们将这种句法长短不一的歌词称为"杂言"，声韵节奏更为自由活泼，形式新颖，这是曲子词的又一个特征。曲子词是个组合而成的词组，"曲子"指音乐部分，也称作词调或词牌，如《乌夜啼》《菩萨蛮》《杨柳枝》等，词指歌词。宋代词调音乐获得空前的发展，这种可以歌唱的文学体裁可以分为引、慢、近、拍、令等词牌形式，它们结构长短不一，风格有"豪放派"与"婉约派"之区分。

宋词是两宋文学的辉煌代表，在众多留名史册的词家中，姜夔被誉为"音节文采，并冠一时"。他精通音律，擅长吹箫和弹琴，能够自创新曲，是南宋唯一一位有词调曲谱传世的音乐家。姜夔（1155 前后—1221 前后），字尧章，号白石道人，江西鄱阳人。姜夔出生于书宦门第，幼年时其父姜噩曾在湖北汉阳做官，十四五岁父亲去世后，他便寄居在汉阳的姐姐家，在那里度过了青少年时期。姜夔少年时即以诗词闻名，后来曾回忆自己"少年知名翰墨场，十年心事只凄凉"。姜夔一生寄情音乐、流离漂泊。他为人清高，怀才不遇，从未做过官，一辈子都在困顿奔波中度过。30 多岁时，在湖南结识诗词名流萧德藻，并得其赏识，娶萧德藻的侄女为妻。1186 年，姜夔随萧德藻到湖州（今浙江吴兴）居住，由此结识了当时的名士范成大、杨万里、辛弃疾、张鉴等人，在与他们的交往中丰富了学识，提高了诗词和音乐的创作水平。他不断往来于湖州、杭州、苏州、无锡、扬州、南京等地，广为交游，写下大量诗词作品，为后人留下了丰富而宝贵的文学艺术遗产。姜夔的著述今存有《白石道人诗集》和《白石道人歌曲》等，存留的诗作 180 余首，词作 80 多篇。

就个人身世而言，姜夔屡次希望通过科举考试谋求出路,但都以失败告终。与他"十年相处,情甚骨肉"的南宋大将张俊的后人张鉴想出资为他买官,被姜夔拒绝。姜夔所结交的朋友中,有一些人政治地位很高,他是有机会在仕途上攀援的,但他还是选择了投靠达官贵人或为幕僚作清客,过着寄人篱下的生活。他有一首著名的七言绝句《过垂虹》:"自作新词韵最娇,小红低唱我吹箫。曲终过尽松陵路,回首烟波十四桥。"这仿佛是姜夔一生漂零江湖、寄人篱下生活的缩影,他的作品散发出清冷落寞的气韵和自然婉约的品格。宋宁宗庆元三年(1197 年),姜夔将多年来对音乐的研究和对宫廷音乐整理的建议写成《大乐议》进献给朝廷,但未被采纳。两年后,姜夔又向朝廷呈上《圣宋饶歌鼓吹曲》歌词 14首,希望获得朝廷采纳和提拔任用,又未成功。在饱经颠沛的困顾生活后,姜夔于 1221 年前后病卒于杭州。

宋初自立国之始,便面临着严重的内外交困。在这种时代背景下,士人之间普遍地形成为后人所称道的忧患意识,即"居庙堂之高,则忧其民;处江湖之远,则忧其君""先天下之忧而忧,后天下之乐而乐"。宋亡前后,在同蒙古军队殊死斗争中涌现出许多爱国志士,南宋琴家汪元亮是琴人的代表。在外族不断入侵的时代背景下,弹奏古琴也成为宋代文人坚持民族气节的象征。作为南宋的宫廷琴师,他对于亡国之痛感受很深,写下大量的爱国诗篇。在跟随被掳的王室羁留在元朝大都时,汪元亮经常看望在狱中的民族英雄文天祥,为他弹奏琴曲《拘幽十操》和《胡笳十八拍》,两人弹琴唱和,抒发悲痛之情。元世祖忽必烈闻其名,召他入宫侍琴,他不愿为元世祖弹琴,遂请求出家为道士,抱琴回到故乡,终生奉道,云游四方。

北宋以后,以静淡为美的审美理念在琴坛日益盛行,北宋崔遵度《琴笺》中"清丽而静,和润而远"为代表。北宋政和年间成玉磵的《琴论》又进一步提出"攻琴如参禅"的主张，较早将琴与佛教禅宗的理念结合起来，开创了儒、道、释三教合一的琴学传统。在这样的思想和时代背景下，北宋出现了一个有师承渊源的琴僧传承体系。在北宋的一百多年中，僧人始终在琴界有着重要地位。[①] 他们的师承最早出自宫廷琴师朱文济，京师的慧日大师夷中得到他的真传，夷中又将琴艺传授给弟子知白和义海，他们的琴艺在北宋琴界影响很大。沈括在《梦溪笔谈》中指出："海之艺不在于声，其意韵萧然，得于声外，此众人所不及也"。义海和他的师兄知白一样，弹琴妙在有自己独到的意韵。则全和尚（？—1045）是义海的学生，他所撰《节奏指法》一文，阐述了义海"急若繁星不乱，缓如流水不绝"的演奏理论，又提出"高以下应，轻以重应，长以短应，迟以速应"的古琴演奏的辩证思想。

南宋古琴音乐以琴家郭沔及其创立的浙派为代表。郭沔，字楚望，浙江永嘉人，南宋浙派古琴艺术的创始人。主要活动于淳祐、咸淳年间（1241—1274），他曾经是光禄大夫张岩的门客，张岩家藏有多种古琴谱本，使郭沔受益甚大，期间还整理过抗金名将韩侂胄家中祖传的古谱。当时都城临安一带，出现了以他为师承的琴学流派。北宋政和年间（1111—1118）成玉磵的《琴论》记载："京师、两浙、江西，能琴者极多，然指法各有不同。京师过于刚劲，江西失于轻浮，惟两浙质而不野，文而不史。"这段话概括了当时存在的几个琴学流派的艺术风格，作者最为推崇两浙地区的琴乐，既有民间质朴之特点，又细腻悦耳。"质而不野、文而不史"，也成为郭沔与他所开创的古琴流派具有的艺术特征。他既有机会

---

① 当代有学者称之为"琴僧系统"，是因为这种"僧人传授僧人"的佛教内部师承背景。除了奉旨在宫廷弹琴的琴待诏（指在宫廷等待皇帝随时诏见的艺术家）朱文济之外，其后几代的传承均为"僧传僧"的释家弟子。

看到并整理宫廷所藏的"阁谱",还吸收了许多在民间流传琴曲所谓"野谱"的特色,在此基础上创作了多首古琴作品,如《潇湘水云》《泛沧浪》《飞鸣吟》等。大都是通过景色的描写来抒发自己内心的感受,这些琴曲经他的学生流传下来,此后浙派的琴曲艺术一直影响到元、明、清各代。

说唱音乐是一种特色鲜明的、大众化的民间表演艺术形式,它集文学、音乐、表演于一体。宋代的说唱音乐趋于成熟,在城市中有了说唱艺人表演技艺的场所——勾栏和瓦肆,还有专门为说书人创作唱词的艺人组织——书会。因此,宋代说唱音乐的兴盛是市民艺术繁荣的必然结果。宋代人如孟元老的《东京梦华录》,耐得翁的《都城胜记》,周密辑的《武林旧事》等笔记中大量记述了北宋都城汴梁和南宋都城临安市民的艺术生活的场景。

北宋汴京的勾栏艺人孔三传最早创立诸宫调,后来这种形式得到高度发展,成为宋元时期最有代表性的大型说唱曲种。其音乐特点在于宫调的多样性,唱词为长短句,篇幅较长。所用伴奏乐器有鼓、板和笛,后来也有用水盏打拍,或用弦索伴奏的。目前保存下来最完整的诸宫调作品是金章宗(1190—1208)时董解元的《西厢记诸宫调》全部唱词。全本共用了 14 个宫调,基本曲调有 151 个,连变体(即"又一体")在内,则有 444 个之多。这种多调性的说唱音乐对元杂剧的产生有着重要影响,元杂剧兴起后吸收了许多诸宫调的曲调,而这种说唱音乐渐渐被元杂剧取代而趋于消亡。"诸宫调"的出现,是我国说唱艺术进入成熟时期的标志。

南宋绍兴年间(1131—1162),勾栏艺人张五牛在吸收流行于北宋汴梁"鼓板"基础上加以创新,发展成一种名为"唱赚"的说唱艺术形式,它是以鼓、板、笛作为伴奏乐器,以缠令和缠达两种曲式交替进行为特征。《都城纪胜》载:"有引子、尾声为缠令，引子后只以两腔互迎、循环间用者为缠达。"前者是有引子和尾声的小型套曲，后者没有尾声，只在引子之后有两个曲牌交替演唱。其特点是用同一宫调、一韵到底。唱赚主要盛行于南宋，是在北宋"缠令""缠达"的基础上发展而成的一种说唱艺术。唱赚有很高的艺术性，演唱时难度较大，是一种集诸家腔谱之大成的曲艺，它的曲牌既包括"慢曲""曲破""大曲"等艺术歌曲，也兼收当时汉族和少数民族的流行歌曲，如"嘌唱""耍令""番曲""叫声"等。"凡唱赚最难，兼慢曲、曲破、大曲、嘌唱、耍令、番曲、叫声，接诸家腔谱也。"（《都城纪胜》）唱赚的唱词叫作赚词，《事林广记》中保存了一套咏蹴鞠的《园社市语》，是由《紫苏丸》《缕缕金》《好女儿》《大夫娘》《好孩儿》《赚》《越恁好》《鹘打兔》《尾声》等九首曲牌组成的套曲。另外，货郎儿、陶真和涯词也是这时较有影响的曲种，反映了宋元代说唱音乐丰富多彩的面貌，它们将说唱音乐这一通俗、普及的形式推向了前所未有的广度和深度。

明清时期说唱音乐有着更加鲜明的地域风格，所谓"南词北鼓"，是指这一时期说唱音乐形成的"南北分野"的格局。与此同时，北方"鼓词"和南方"弹词"又滋生出各自具有不同声韵、方言、民俗的流派，发展成为遍及全国的有数百个曲种的说唱艺术形式。各地的说唱音乐成为在广大城乡乃至偏僻山区市民茶余饭后、娱乐消闲的重要形式，一些优秀的说唱艺人陆续出现，他们精彩的表演有力地推动了明清时期说唱艺术的发展。

弹词艺术在明代中叶已经在苏州、杭州、扬州、南京等广为流行，至清代初年有较大发展。嘉庆年间的陈遇乾、俞秀山，同治年间的马如飞均以创腔著称，并称为"陈调""俞调""马调"三个重要流派。比如陈调苍凉雄劲，适合表现老生、老旦的角色。俞调秀丽柔婉,适合花旦、青衣的角色。后来在他们的基础上又逐渐繁衍出许多新的流派,对于后世弹词唱腔发展有很大影响。尤其是乾隆中期以后,弹词在江浙一带的地域文化特征愈加明显,和北方的鼓词形成更为明确的分野。与南方弹词并驾齐驱的是北方的各类大鼓。演员边演唱边击鼓,因以得名。鼓词在清初有较大发展,盛行于北方各城市,尤其流行于山东、河北一带。鼓词艺术在长期的发展演变中,由于艺人的生活阅历、文化素质,活动区域风俗的不同,与各地的山歌、民歌、方言相融合,从而形成了不同的艺术流派。清代道光年间马三峰在"木板大鼓"基础上,创造出新的声腔,为西河大鼓的唱腔音乐及其表演形式奠定了基础。清末民初小说家刘鹗(1857—1909)在《老残游记》中所写的黑妞、白妞(即王小玉姐妹)皆为当时表演犁铧大鼓的名角演员。早期著名艺人为郝老凤,他的演唱质朴淳厚,因流行于山东北部而称为"北口"。后来梨花大鼓进入济南后,以王小玉姐妹为代表的女演员发展创造出妩媚婉转的"南口"唱腔,更加适合市民阶层的口味。

清末民初形成并流行于北京、天津地区的京韵大鼓,其来源是清末由河北省沧州、河间一带流行并传入京津地区的木板大鼓。由当时的鼓书艺人刘宝全等人把原来用河间方言演唱的木板大鼓改用北京方言演唱,并在木板大鼓原有伴奏乐器三弦外,增加了四胡和琵琶等乐器,形成了一直流传至今的京韵大鼓。20世纪20年代是京韵大鼓发展的鼎盛时期,这一时期主要有以刘宝全、白云鹏、张小轩为代表的三大流派。其中以刘宝全的艺术造诣最高,贡献最大,时人称其为"鼓界大王",尊为一代宗师。他擅长说唱金戈铁马的"三国"故事,代表性曲目如《单刀会》《长坂坡》《赵云截江》《草船借箭》《华容道》《群英会》等。刘宝全的嗓音条件极佳,声腔甜润清亮，音域宽广。由于他精于音律，善于创制新腔，勇于革新，逐渐形成"说即是唱，唱即是说"的说唱风格，把大鼓艺术叙事和抒情兼备的表现能力推向新的境界。20 世纪 30 年代以后，刘派弟子白凤鸣、骆玉笙等，继承刘宝全的唱法，并依各自的嗓音条件，吸收借鉴旁派艺术，分别创立了"少白派"和"骆派"。"少白派"以苍凉悲壮的"凡字腔"见长，而"骆派"则以音域宽阔、抒情色彩浓郁见长。他们在唱腔和表演方面都有新的拓展，从而使京韵大鼓受到更多听众的青睐。

中国的戏曲艺术走过一条漫长的发展之路，从宋元时期的"杂剧"与"南戏"，至元末明初南戏的四种戏曲声腔"四大声腔"的出现。从明代中叶至清初"昆曲"独领风骚二百余年，到清初以后"乱弹"诸腔的兴起，直至 20 世纪上半叶形成 300 多个剧种，迎来 20 世纪二三十年代以京剧为代表的传统戏曲黄金时代，这 900 年间戏曲艺术的发展充分显示出民间音乐形态已经成为宋元明清时期社会音乐生活的主流，在音乐历史上构成近古音乐最为辉煌的面貌。

明清时期的戏曲艺术出现了不同于宋元时期的新景象。中国的东南沿海一带是元末明初南北戏曲的汇集之地，加之这里商品经济比较发达，成为戏曲艺术成长的沃土，明代的"四大声腔"流行于江南各地。浙江的海盐腔、余姚腔，江西的弋阳腔、江苏的昆山腔，被称为明代的四大声腔，同属南戏系统。昆山腔，简称昆腔，清代以来被称为"昆曲"或"昆剧"。在元末明初之际（14 世纪中叶）产生于江苏昆山一带，最早是苏州一带的民间小唱，后来能够从众多声腔剧种中脱颖而出，成为明代中叶至清代中叶影响最大的声腔剧种，主要得益于魏良辅（1489—1566）、梁辰鱼（约 1521—1594）等人对它的改革。

明代嘉靖、隆庆年间，寓居太仓的魏良辅及张野塘等人吸收其他声腔的长处,一改以往昆山腔那种平直无韵味的唱腔腔调,发挥它"流丽悠远"的优势,在旋律上显示出舒缓细腻,婉转精致的特色,改革之后的昆山腔声音像糯米在水中打磨过的一样,因此被称为"水磨腔"。当时擅唱北曲的张野塘,从安徽寿州(今寿县)发配至太仓军中服役,一次,魏良辅听他唱曲,竟一口气听了三天三夜。两人谈得非常投机,相见恨晚,结为挚友。那时,魏良辅已经 50 多岁(比张野塘大 8 岁),他将自己貌美善歌的女儿许配给张野塘为妻,张野塘也成为魏良辅创新水磨腔的得力助手。同时,魏良辅进一步丰富昆山腔伴奏乐队的配置,在原来单调的弦索伴奏中,加入笛、箫、笙、琵琶等乐器,使昆曲音乐富于感染力,给人耳目一新之感。到万历年间,昆曲便以苏州为中心扩展到长江以南和钱塘江以北各地,并逐渐流布到福建、江西、广东、湖北、湖南、四川、河南、河北等广阔的地域。改革后的昆山腔配上明代剧作家梁辰鱼创作的《浣纱记》之后,迅速流传开来,并被士大夫带入京城,成为宫中大戏,不但赢得了"官腔"之美称,还形成了"四方歌者皆宗吴门"的盛势,成为压倒其他戏曲声腔的剧种,经过南北曲的汇流,昆山腔终于成为居一时戏曲之冠的昆剧。其实魏良辅当初学的是北曲,因对当时刚硬的北曲风格不满意,后改学南曲。他并未满足于南戏原有的声腔,在苏州洞箫名手张梅谷、昆山著名笛师谢林泉和南曲专家过云适、北曲专家张野塘等人的协助下,对传统昆山腔的唱法进行加工整理,把南北曲融为一体。魏良辅后来潜心将多年积累的心得札记整理成文,曰《南词引正》,又名《曲律》,逐条简要阐述了昆曲在字、腔、板、眼等各方面的练唱技术以及南北曲唱法的区别,是论述昆曲唱法及南北曲流派的重要著作。昆曲的伴奏乐器,以曲笛为主,辅以笙、箫、唢呐、三弦、琵琶以及各种打击乐器。昆曲的表演有独特的风格,它最大的特点是集古代诗歌、唐诗、宋词、元曲之长处，将汉语的音乐性发挥得淋漓尽致。其舞蹈化、程式化的动作表演优美细腻，唱腔圆润婉转，文词吐字讲究，是一门综合性很高的艺术形式。

昆曲在历史舞台上曾风行四个世纪，这种盛况在历史上极为少见。18 世纪之前的 400 年，是昆曲逐渐成熟并日趋鼎盛的时期。在这一时期，昆曲以一种完美的艺术表现形式向世人展示着社会生活的万般风情，它的兴盛与当时士大夫的生活情趣、艺术趣味是一脉相承的。士大夫的文化修养，为昆曲注入了独特的文化品位，他们对闲适生活的追求和对社会对人生的哀怨、悲凉的感受，都赋予了昆曲节奏舒缓、讲究意境的风格和惆怅、缠绵的情绪。2001 年 5 月 18 日，昆曲被联合国教科文组织宣布为第一批"人类口头和非物质遗产代表作"项目，昆曲的优秀传统将作为人类共同享有的文化遗产加以继承和发扬。

中国传统的乐律学一度有"绝学"之称，因为它属于数学、物理学与音乐学交叉的一门学科。作为音乐声学的重要组成部分，它是运用数理逻辑的精密计算方法来研究乐音之间的关系，在音乐理论的各个分支学科中显得较为深奥。但其实乐律学是中国音乐史研究中最基本的学问，在本质上律学不仅仅是纯数理的计算，在复杂数字的背后体现的是不同的文化、历史、民族的音乐传统和审美观念。当然，乐律学也是我们了解某个历史时期音乐文化属性必不可少的手段，在传统文化漫长的发展过程中有其独特的地位。中国古代乐律的发展具有悠久的历史，在二十五史中就有律历志、礼乐制的部分集中记录某一个朝代的乐律理论。随着人类对音高认识的不断进步，中国古代乐律学的研究取得了辉煌的成就。

　　任何一个时代乐律学的发展与不同历史时期民族文化的传统和音乐实践密不可分,也与当时数学领域所达到的水平紧密相联。至明代,中国乐律学的发展经过漫长的探索和等待,终于迎来一位真正的"一代之奇才"横空出世,这位世界上首创十二平均律学说的伟大人物是朱元璋的第九世孙朱载堉(1536—1611)。那么,他是用什么方法来重新解释音与音之间的规律,从而实现了上千年来人们都不能解决的难题呢?

　　他在 1581 年的《律历融通》一书中首先提出了十二平均律的理论,并在 1596 年的《律吕精义》中进一步向世人阐述他的"新法密率"。其生律方法的"新"是在于独辟蹊径。他不以传统的黄钟 9 寸为始发之律长,而是采用逆向思维的方式,以黄钟倍律[①] 2 为起点,在黄钟倍律 2 和黄钟正律 1 之间,求出十三个数的等比数列,使各相邻律(半音)之间的频率比都完全相等。朱载堉发明的十二平均律是一个天才的创造,用今天的算法来看,先把八度开二次方,得到八度的一半,即十二平均律中六个半音处的 ${}^{\sharp}f$;再开二方,为八度的四分之一,即三个半音处的 ${}^{\sharp}d$;再开三方,为八度的十二分之一,即半音的 ${}^{\sharp}c$。实际上,就是将 2 开十二次方而得到"频率倍数"(1.0595),如果用这个频率倍数连续自乘 12 次,就会得到各律的频率倍数,乘到第十二次,便达到黄钟倍律 2。朱载堉所提出的数据,与今天的十二平均律完全相同,只不过现代律学不再用长度表示律高,而是换成频率。这是对我国乃至世界律学史上的一项重大贡献,具有划时代的意义。

　　这些数据的背后透露着古代先贤们的艰辛和智慧,在500 多年前,还没有任何先进计算工具的条件下,能够完成如

---

① 指比正律低八度的音。

此复杂的数据计算的确很了不起。苦难成就了一代大师，当年因皇族内讧和父亲的牢狱之灾，朱载堉"叛逆"地在宫门外筑起土屋，19 年间矢志不移地致力于乐律、历算之学的研究，著书立说，终于成为一位伟大的乐律学家和科学家，他的成就还涉及天文、舞蹈等广阔的领域。朱载堉虽然是第一个用数学推算出十二平均律的准确高度的人，但是他的成就在当时并没有引起统治者和社会的重视，更没有得到很好地应用。当他把由 14 种著作汇集而成的煌煌巨著《乐律全书》进献朝廷时，他的伟大发明却被束之高阁。而受到朱载堉"新法密律"启发的西方律学家们，自 18 世纪起将十二平均律理论应用于创作实践中，德国伟大作曲家巴赫(1685—1750)的代表作是上、下两卷的《平均律钢琴曲集》。而今以十二平均律为基础的大小调音乐已经成为全世界尽人皆知的音乐体系，这不能不说是明代著名乐律学家朱载堉对于世界文化的一个巨大贡献，他无愧是中国历史上一颗灿烂的科学和艺术的双料巨星。

原典选读

1. 孔子学鼓琴于师襄子（十日）而不进。师襄子曰："夫子可以进矣。"孔子曰："丘已得其曲矣，未得其数也。"①有间，曰："夫子可以进矣。"曰："丘已得其数矣，未得其意也。"②有间，复曰："夫子可以进矣。"曰："丘已得其意矣，未得其人也。"③有间，复曰："夫子可以进矣。"曰："丘已得其人矣，未得其类也。"④有间，曰："邈然远望，洋洋乎，翼翼乎，必作此乐也。黯然而黑，几然而长，以王天下，以朝诸侯者，其惟文王乎！"师襄子避席再拜曰："善！师以为文王之操也。"⑤

——《韩诗外传·卷五》

2. 瓠巴鼓琴，而鸟舞鱼跃。⑥郑师文闻之，弃家从师襄游。柱指钩弦，三年不成章。师襄曰："子可以归矣。"⑦师文舍其琴，叹曰："文非弦之不能钩，非章之不能成，文所存者不在弦，所志者不在声。内不得于心，外不应于器，故不敢发手

---

① 孔子向师襄子学琴（学了十天）仍没有学习新曲子，师襄子说："可以学习新内容了。"孔子说："我已经学了这个曲谱，但还没有熟练地掌握技巧。"

② 过了一段时间，师襄子说："你已经熟悉弹奏技巧，可以学习新内容了。"孔子说："我虽然掌握了弹奏技巧，但还没有领会乐曲的情感。"

③ 又过了一段时间，师襄子说："你可以继续学习新内容了。"孔子说："我虽然已体会到乐曲情感，但还没有体会出作曲者是怎样的一个人。"

④ 又过了一段时间，师襄子说："可以学习新内容了。"孔子说："我体会到作者是怎样的人，但还未能找到音乐的境界。"

⑤ 又过了一段时间，孔子说："时而庄重穆然，若有所思，时而怡然高望，志意深远，必然是他创作的音乐。那人皮肤深黑，体形颀长，像一位统治四方诸侯的王者，除了周文王还有谁能够这样呢？"师襄子听到后，离开座位给孔子拜了两拜，说道："对，我的老师原来说过这就是《文王操》呀。"

⑥ 一位名叫瓠巴的人弹琴美妙至极，能使鸟儿飞舞、鱼儿跳跃。

⑦ 郑国的师文听说后，便离开了家，跟随师襄游学。按指调弦，三年也没弹好一支乐曲。师襄说："你可以回家了。"

而动弦。且小假之以观其后。"①

——《列子·汤问》

3. 楚襄王问于宋玉曰："先生其有遗行与？何士民众庶不誉之甚也！"②宋玉对曰："唯，然，有之！愿大王宽其罪，使得毕其辞。③ 客有歌于郢中者，其始曰《下里》《巴人》，国中属而和者数千人。④ 其为《阳阿》《薤露》，国中属而和者数百人。⑤ 其为《阳春》《白雪》，国中属而和者，不过数十人。⑥ 引商刻羽，杂以流徵，国中属而和者，不过数人而已。⑦ 是其曲弥高，其和弥寡。"⑧

——《古文观止》上册"宋玉对楚王问"，清吴楚材、吴调侯选，中华书局，1978 年版。

4. 伯牙学琴于成连先生。……成连曰："吾师云春在海中，能移人意。"与俱往至蓬莱山，留伯牙，曰："此居习之，吾将迎师。"刺船而去，不返。⑨ 伯牙但闻水声倾洞，山林冥杳，

---

① 师文放下古琴，叹了口气说："我并不是不能弹弦，也并非奏不出乐章，而是我的心不在琴弦上，脑子所想的不是乐声，内心没有音乐，便无法用手指在琴弦上表达出来，所以不敢放开手去拨动琴弦。姑且少给我一些时日，看看我以后怎样。"

② 楚襄王向宋玉问道：先生难道有什么不好的行为吗？为什么士人百姓都不称赞您呢？

③ 宋玉回答说：是的，不错，有这么回事。但希望您能宽恕我的罪过，允许我把话说完。

④ 有客人在郢都唱歌，开始他唱《下里》《巴人》，都城里聚集起来跟着唱的有几千人。

⑤ 接着他唱《阳阿》《薤露》，都城里聚集起来跟着唱的有几百人。

⑥ 后来他唱《阳春》《白雪》，都城里聚集起来跟着唱的不过几十人。

⑦ 最后他时而用商音高歌，时而以羽声细吟，其间杂以宛转流利的徵音，这时都城里跟着和唱的不过几人而已。

⑧ 这说明他唱的歌越是高深，能跟着和唱的就越少。

⑨ 伯牙跟成连先生学琴。成连说："我的老师云春，居住在东海，他能传授培养人情趣的方法。"便带伯牙来到蓬莱山，让伯牙留下，然后说："这就居住在此练习吧，我将去迎接我的老师。"乘船离去，没有返回。

禽鸟啼号，乃叹曰"吾师谓移人意者，岂此也。"①援琴而歌，顿悟其妙旨。②

——《乐府题解·伯牙操》（唐刘餗撰），《中国古代音乐文献集成》第二辑，第一册。

5. 伯牙鼓琴，钟子期听之。方鼓琴而志在太山，钟子期曰："善哉乎鼓琴！巍巍乎若太山。"③少选之间，而志在流水。钟子期又曰："善哉乎鼓琴，汤汤乎若流水。"④钟子期死，伯牙破琴绝弦，终身不复鼓琴，以为世无足复为鼓琴者。⑤

——《吕氏春秋·孝行览·本味》

6. 是曲者，阮籍所作也。籍叹道之不行，与时不合，故忘世虑于形骸之外，托兴于酣酒，以乐终身之志。⑥其趣也若是，岂真嗜于酒耶，有道存焉。妙在于其中，故不为俗子道，达者得之。⑦

——《神奇秘谱》上卷

7. 余少好音声，长而玩之。以为物有盛衰，而此无变。滋味有厌，而此不倦。⑧可以导养神气，宣和情志，处穷独而

---

①　伯牙只看见汹涌的波涛，杳深的山林和悲啼的群鸟，于是感慨地说："先生所说的移我情，原来就是这样啊！"

②　弹着琴歌唱着，顿时领悟了老师绝妙的意旨。

③　伯牙鼓琴，钟子期听着它。当弹琴而心想表现高山时，钟子期就说道："你弹出来的琴声好极了！简直就像巍峨的高山屹立在我面前。"

④　一会儿以后，转而心想表现流水，钟子期又说道："你弹出来的琴声好极了！这琴声宛如奔腾不息的江河。"

⑤　钟子期死后，伯牙摔了琴，扯断了琴弦，到死不再弹琴，认为世上再没有值得为他弹琴的人了。

⑥　这首琴曲，是阮籍创作的。阮籍感叹世道不公，不能与当时社会相融合，因此把世俗顾虑抛弃在身体之外，把兴致寄托在酣酒上，来愉悦终身的志趣。

⑦　他的志趣似乎是这样的，但他真的只嗜酒吗，是有道义与之并存的。奥妙在于其中，不是一般人能够理解的，只有真正了解的人才能明白。

⑧　我从小酷爱音乐，长大以后练习抚琴。在我看来，万物都有盛衰而音乐没有这种变化。人对食物的味道会厌烦，而对音乐的爱好永不会厌倦。

不闷者，莫近于音声也。①

——嵇康《琴赋》

8. 万宝常，不知何许人也。父大通，从梁将王琳归于齐。后复谋还江南，事泄，伏诛。② 由是宝常被配为乐户，因而妙达钟律，遍工八音。造玉磬以献于齐。③ 又尝与人方食，论及声调。时无乐器，宝常因取前食器及杂物，以箸扣之，品其高下，宫商毕备，谐于丝竹。大为时人所赏。然历周洎隋，俱不得调。④

——《隋书·万宝常传》

---

① 音乐可以颐养神气，调合情志，能使人身处逆境而不觉无所事事的东西，莫过于音乐了。

② 万宝常，不知是什么地方的人。他的父亲叫万大通，随梁将王琳归顺了北齐。后来企图逃回江南，事情泄漏，被杀。

③ 因而万宝常被发配为乐户，也因此他精通音律，各种乐器都能精熟演奏。他自己曾制造了一组玉磬，献给北齐皇帝。

④ 万宝常曾和别人在一起吃饭，饭间讨论起音调，当时现场没有乐器，他就拿面前的餐具和其他杂物，用筷子敲击，定其音调的高低，五音配齐，敲击起来，和乐器一样音调和谐，被当时的人大为赞赏。但他历事北周和隋朝，都没能被提拔。

记谱法、乐谱与音乐作品

　　在古今中外的历史上，音乐的传播方式和渠道多种多样。在有"口述传统"的民族中，音乐靠着一代代人们以口传心授的方式传承下来，尤其是在民间或无文字的民族中，千百年来人们自发地学会祖祖辈辈流传下来的音乐语言。而在有"书写传统"的国家中，乐谱是音乐传播和交流的重要媒介。音乐是时间的艺术，稍纵即逝，因此系统而客观地记录下音乐的信息是十分重要的。

早期的记谱方式

　　在古今中外的历史上，音乐的传播方式和渠道多种多样。在有"口述传统"的民族中，音乐靠着一代代人以口传心授的方式进行传承，尤其是在民间，千百年来人们自发地记忆祖祖辈辈流传下来的音乐语言。而在有"书写传统"的国家中，乐谱是音乐传播和交流的重要媒介。音乐是时间的艺术，稍纵即逝，因此准确而精细地记录音乐信息是音乐作品能够保存和传承最为重要的手段。

　　中国的记谱法始于何时？中国古人使用什么方式来记录音乐呢？上古时期的经典文献有《诗》《书》《礼》《乐》《易》《春秋》，后来唯《乐》失传。汉代开始将除"乐"之外的五种典籍称之为"五经"，被奉为儒家的经典必读书籍。今天有学者认为，"乐"有可能是附于《诗经》的一种乐谱，但因无实例难

135

以证实。《礼记·投壶篇》中记载了古代举行投壶①仪式时使用的鼓谱，其中用"〇""□"分别代表鲁国和薛国两地鼙和鼓两种不同形制鼓的击鼓符号，是目前史料中所见最早的节奏谱式记录。

谱式的产生和一个民族使用的文字和语言有着密切的关系，它也是一个民族音乐思维方式的体现。东汉时期班固所撰《汉书·艺文志》的书目部分有"声曲折"三个字，大多学者认为"声曲折"是一种汉代乐谱的存在，因为歌词与歌谱皆分别记写，在"河南周歌诗"七篇之后，另有"河南周歌声曲折"七篇的篇目；在"周谣歌诗"七十五篇之后，又有"周谣歌诗声曲折"七十五篇的记载。有学者提出应将"歌声曲折"断为一词，因为曲折是汉魏时期人们用以表达乐音高低变化的常用词，《汉书·艺文志》所记载的图书目录中，出现与"歌诗"并列的"声曲折"，如果"歌诗"指的是文字，那么"声曲折"应该是与其对应的音乐曲谱。但是这一词汇的含义并非是现代人主观想象的"线条"或者"符号"，它字面的本意就是声的曲折，无从断定如何记写。如果用现代语汇译解的话，"声曲折"仅仅指的是歌曲的旋律、曲调，它本身无法透露出这种"曲谱"的符号是否用曲折的线条来表示。

---

① 投壶既是一种礼仪，又是古代士大夫宴饮时的一种投掷游戏。据《礼记·投壶篇》记载，宾主双方轮流以无镞之矢投于壶中，在一定的距离间投矢，以投入多少计算决定胜负，多中者为胜，负者饮酒作罚。其实投壶是由于场地或个人因素的限制不能举行射箭之礼而采取的权宜之计，后来发展成为在宴会上助酒兴的一种游戏。因此投壶与射礼在仪节上有许多相似之处。

古琴谱及其作品

　　古琴，又名琴或七弦琴，是中华民族历史上具有悠久文化传统和不间断传承的一件乐器，其历史可追溯到周代以前。古琴是一件充满魅力的乐器，其器虽小，但却似一扇打开的窗户，从中可窥见中国古代历史和文明的大世界。很少有像古琴这样曾与中国古代的帝王和士人的文艺作品、精神追求、人格境界有着紧密联系的艺术形式，这也是它在民族乐器的大家庭中显得与众不同的原因之所在。随着古代士阶层的兴起和壮大，琴成为士大夫们修身养性的乐器，所谓"士无故不撤琴瑟"，琴棋书画，琴是他们生活中表达情感、寄托心志的一件必备之物。古琴音乐保留着丰富的中国传统音乐信息，唐代琴人说"唯琴家犹传楚汉旧声"，至今古琴音乐依然是我们研究中国古代音乐的珍贵宝库。正如音乐学家黄翔鹏先生在《论中国古代音乐的传承关系》一文中所提出的"古琴音乐对于中国音乐史的价值相当于钢琴文献对于欧洲音乐史的意义"。黄先生的观点高瞻远瞩，既是对古琴音乐价值的充分肯定，也是对中国音乐史研究者们的启发与期冀。

　　我国目前所见有实例的、最古老的记谱形式是古琴文字谱，唐代人手抄本的《碣石调·幽兰》是一首用文字记录保存下来的古代琴曲，谱前有序，注明为南朝梁时人丘明（493—590）传谱。曲谱分为四段，共有 4954 个汉字。所谓"文字谱"，是用文字记述弹琴的指法、弦位和徽位的一种记谱法，即用文字详细描述演奏古琴的手法，如左手按某弦某徽某几分，右手如何弹奏等，属于"音位谱"或称"手法谱"。也有学者认为这不能算作是真正意义上的记谱法，因与古人所写文章属同一类型。文字谱出现时中国还没有发明印刷术，因此这时的曲谱只有手抄的卷子本。这一唐人手抄本的原件保存在日本京都西贺茂的神光院，1885 年我国学者杨守敬在日本访求古书时发现，由当时的驻日公使黎庶昌将其刊印在《古逸丛书》上，这份曲谱对今天研究古代琴曲的弹奏技法和记谱方式有珍贵的文献价值。这一乐谱的发现告诉我们极为重要的历史信息，一是在唐代初年有用文字记写弹琴音高和指法的习惯，时间至少延伸到中唐时期曹柔发明减字谱之前；二是从抄本的文字中能看出当时古琴演奏已经具备较高的水平，技法的繁复有了用文字记录下音乐信息的必要；三是当时对音乐的记录属于文字书写的范畴，就像我们读古代的文言文一样，由右到左竖行书写，没有句读，当时的创作者和读谱人便可以由此展开琴曲的解读，将其在古琴上弹奏出来。从所用文字谱式这一点也充分体现出古琴作为一件文人乐器的特征。

《碣石调》指它的曲调形式（或可能指定弦调式），《幽兰》指乐曲表达的内容。据蔡邕的《琴操》记载：孔子当年周游列国，得不到诸侯赏识，在从卫国返回晋国途中，见幽谷中茂盛的兰花竟与杂草为伍，触发怀才不遇之情感，于是写下这首琴曲。乐曲节奏缓慢，力度也并不强烈，曲调清丽委婉，其谱序曰"其声微而志远"，谱末的小注中又说："此弄宜缓，稍息弹之。"乐曲表现了空谷中的幽兰清雅素洁的形象和静谧悠远的音乐意境，同时暗含着一种抑郁伤感的情绪。用我们今天的乐理习惯来表述，《幽兰》一曲在音调上明显不同于后世大大小小的传统琴曲，大二度、小二度等不协和音程几乎贯穿全曲，相对自由的节奏与飘逸精灵的曲风使这首来源甚古的琴曲穿越到今天竟带有某些现代音乐的意味。近代以来学界、琴界对记录《幽兰》的文字谱中所蕴含的音高,节奏等信息展开过各种考证,但依然难有定论。《幽兰》这首古琴作品具有重要的文物价值和艺术价值。

从南北朝到明清时期,贯穿 1400 多年的中国音乐史上各种记谱法陆续出现,不断完善。文字记谱法明显的缺点是较为繁琐,"其文极繁,动越两行,未成一句"。随着琴曲艺术的发展,越来越不能适应琴曲演奏和传播的需求,最终退出历史舞台,而后另一种古琴记谱法"减字谱"便应运而生。

减字谱是用减字笔画拼成某些符号,作为左、右两手在古琴上弹奏手法的标记。是一种只记弹奏音位与方法,而不记音名的记谱方式。这种古琴专用谱式由文字谱发展而来,是古琴记谱法的重要革新,由唐代的曹柔创造完成。比如左手用大指按音写作"大",九徽写作"九",右手的弹奏技法"勾"写作"勹",第三根弦写作"三",这样就是谱字的解读。这一方块字包含的内容十分丰富,一个古琴字谱可以像上、下结构的一个汉字,分成两部分,上半部分表示左手演奏所用的手指和徽位,下半部分表示右手演奏的技法和弦位。这种记谱法的优点是详细地记录了弹奏的音位、所用手法,但缺点是有关节奏、节拍的信息较弱,因为相对于"音名谱"而言,它的不足之处是不易直接唱出音高和音名。但这种谱式有其适宜古琴演奏的特点,除了能够准确地保存音高的信息外,还可以记录"音过程"中细微的音变化以及弹奏技巧,自创立以来一直沿用至今未被取代。减字谱对音乐的节奏没有严格地说明和标记,并非是古人没有节奏意识,其主要作用是在师承传授音乐的过程中能够备忘、示范或者用于琴人们的交流,同时也提供给演奏者较大的自我发挥空间,这种"随意性"和"自由性"正是古琴音乐的重要特征。

古琴减字谱的产生推动了当时古琴音乐的传播,隋末唐初的琴家赵耶利还修订了减字记谱的方式，整理指法，记录琴曲。晚唐时期，陈康士、陈拙等琴家便可以用唐代的减字谱整理大量古代琴谱，对后世古琴音乐的继承发展具有深远的历史意义。南宋姜夔《白石道人歌曲》中的《古怨》和宋末元初陈元靓《事林广记》中的《开指黄莺吟》，是目前所见最早用减字谱记写的琴曲。在明代朱权编印的《神奇秘谱》上卷"太古神品"中，保留有很多这种早期传谱的面貌。这种字划简约，却释义清楚的减字谱的出现，是古琴记谱法的划时代变革，曹柔的创造让古琴有了最适宜自身乐器特点的记谱体系。唐代以来，这种记谱方式也在不断地完善之中显示出它强大的生命力。历史上流传至今的琴曲，除了唯一一首用文字谱记录的《碣石调·幽兰》，其余均采用减字谱的记录方式留存下来。因此，在减字谱流行以前，古琴历史上经历了从六朝时期用文字描述的方式记录音乐信息的"文字谱"，到中唐以至宋代一直沿用的"早期减字谱"，最后发展到明清至今使用的较为成熟的"减字谱"，其间已经度过了漫长的一千多年。

《广陵散》是中国古代一首大型的古琴曲，最晚在汉末已经出现。人们常把该乐曲的表现内容与《聂政刺韩王》一曲联系起来。《琴操》中有《聂政刺韩王曲》的记载，它描写的是战国时期铸剑工匠的儿子聂政为报杀父之仇，刺死韩王然后自杀的悲壮故事。《广陵散》的曲谱最早见于明代朱权编印的《神奇秘谱》(1425 年)，从朱权写作琴曲的解题①可以推断这是一首在宫廷和民间都辗转传谱，至朱权所见时已是历经近千年的古老音乐。谱中主要部分有"刺韩""冲冠""发怒"

---

① 琴曲的解题也称"题解"，是指写在琴谱前面的文字解释部分，内容涉及该琴曲的作者、流变、表现内容等，是后人理解和研究该作品的重要参考资料。

"投剑"等 18 个分段小标题。据考证,《广陵散》的曲体结构现为 45 段,在唐代以前是 33 段的大曲,由"大序""正声"和"乱声"三个部分组成,这种结构可能保留了早期传统大曲艳、曲、趋的形式规范,保存了汉唐音乐的古老气息。《广陵散》旋律慷慨激昂,其所表现的气贯长虹的音调一直为封建卫道士所咒骂。如朱熹所说:"其声最不平和,有臣凌君之意。"宋代以后的古琴作品大多以写景抒情为主,鲜有见到如《广陵散》般充满战斗气氛和英雄气概的琴曲,它体现出高度的思想价值和艺术价值是这首琴曲最为宝贵之处。《广陵散》的流传与魏晋名士嵇康有着密切的关系,虽然并非嵇康所作,但嵇康当年弹奏《广陵散》最为著名。或许正是因为《广陵散》中充满着反抗精神与战斗意志,才让嵇康如此酷爱。《广陵散》在近代历史上曾绝响一时,新中国成立以后我国著名古琴家管平湖先生根据《神奇秘谱》所载曲谱进行整理、打谱,使这首奇妙绝伦的琴曲又成为闻之有声的古代音乐名作。

中国历代的文学艺术作品中以"文姬归汉"为题材者众多,其中以"胡笳"为主题的古琴音乐有纯器乐的琴曲和边弹琴边吟唱的琴歌两种形式。在丰富的传谱中,只有明代万历三十九年(公元 1611 年)孙丕显所刻的《琴适》所录是有词的琴歌作品,其他均为无词的器乐曲,其中以初唐时古琴界盛行的《大胡笳》和《小

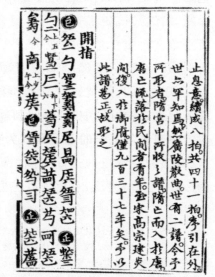

古琴曲《广陵散》(《神奇秘谱》)

胡笳》最为著名。它们在唐代的流行表现为一批以擅长弹奏"胡笳"曲而闻名的琴家,如沈家声、祝家声以及开元、天宝年间的董庭兰。同代诗人高适曾有诗句"千里黄云白日曛,北风吹雁雪纷纷。莫愁前路无知己,天下谁人不识君?"(《别董大》)可见当时董庭兰享有的盛名。李颀的《听董大弹胡笳》写道:"蔡女昔造胡笳声,一弹一十有八拍,胡人落泪沾边草,汉使断肠对客归。"这首诗是对"胡笳"曲表现内容的概括。无论这些不同音调和形式的作品是否假托古人①所作,都表明人们对"文姬归汉"历史事迹的关注和对这一题材作品的喜爱。

蔡琰,即蔡文姬,是我国汉末著名文学家、音乐家蔡邕的女儿,是一位才情过人,但命运坎坷的女性。史书说她"博学而有才辨,又妙于音律"。文姬博学多才,自幼表现出过人的音乐天赋,6岁时曾听父亲在大厅弹琴,隔着墙壁就听出父亲把第一根弦弹断的声音。其父惊讶之余,又故意将第四根弦弄断,居然又被她准确指出。曹操曾在一次闲谈中,表示很羡慕蔡文姬家中原来的藏书。文姬说原来家中所藏的四千卷书,几经战乱,已经全部遗失,但她还能背出四百篇,曹操大喜,于是蔡文姬凭记忆默写出四百篇文章,可见其才情之高。蔡文姬初嫁给朝臣之子河东卫仲道,可惜不久丈夫便死去。东汉末年社会动乱,烽火连年,蔡文姬在逃难中被匈奴所掳,成为左贤王的王妃,她在塞外度过了12个春秋,育有两个孩子。但她无时无刻不在思念故土,曹操平定中原之

---

① 古代文人在论述其思想观点时喜欢托古,早在先秦诸子时期便托古成风。这种传统深深地影响到古琴曲的创作,比如他们经常把古琴形制托古于帝王之作,把琴曲托古于圣贤之作,把琴曲内容托古于某个历史故事等等,这种托古附会的方法在古琴文献经常看到,有的是虚构,有的可能是真实存在。《胡笳十八拍》是否为蔡文姬所作,现在尚未有明确定论。

后,与匈奴修好,念及与其父蔡邕的友谊,遂派使节用重金赎回文姬。左贤王同意蔡文姬回到中原,但两个孩子必须留在匈奴。对家乡的思念和与骨肉的生离死别让蔡文姬百感交集,她把自己的真实情感和生活经历淋漓尽致地表达在五言体的长篇叙事诗《悲愤诗》中,这首诗也是后来各种"胡笳"或"文姬归汉"题材的古琴作品的曲意来源。

明代《琴适》中的琴歌《胡笳十八拍》,是目前较为流行的一个谱本,20世纪50年代由当代琴家陈长龄打谱而通行于世。这首琴歌的唱词,初见于南宋朱熹所编的《楚辞后语》,在郭茂倩编撰的《乐府诗集》中,被编入"琴曲歌辞"。突厥语称"首"为"拍",十八拍即十八首之意。作品第一拍开始唱到:"我生之初尚无为,我生之后汉祚衰。……"这几个小节是全曲的核心音调,后面段落展开均由此而衍生。随着歌词所表达的情节发展,旋律跌宕起伏,具有浓郁的抒情气息。音乐的对比与发展层次分明,分两大部分,前九段主要倾诉作者身在胡地的屈辱和对故乡的思念;后九段则抒发出作者惜别稚子的痛苦与悲怨。音乐基本上用一字对一音的手法,带有古代歌曲的创作特点。这部十八段的大型声乐作品,能够使用相似的音乐素材表达出千变万化的情感,而不让人有重复拖沓或断裂之感,足以体现出中国古代音乐作品创作手法的高超与奥妙。代表外来音乐的胡笳之声与代表古老华夏音乐传统的古琴音乐融为一体,音乐与歌词珠联璧合。琴歌《胡笳十八拍》以感人的音调诉说了蔡琰一生的悲惨遭遇,反映了战乱给人民带来的深重灾难,是一部具有高度艺术价值的古代音乐作品。

从流传至今的《广陵散》《离骚》《大胡笳》等古琴曲来看,这些作品不像后世古琴音乐所遵循的"清微淡远"之风,而是戈矛杀伐、酣畅淋漓地表现情绪的跌宕起伏,韩愈的《听颖师

弹琴》是这种音乐风格的写照,唐代古琴音乐的特点由此可
窥见一斑。宋代自欧阳修认为韩诗中的"琴"是指琵琶以来,
学界一直争论不休。其实这正是唐代人与宋代人在音乐审
美上的明显差异。翻阅唐代音乐文献可以发现,唐代人对于
音乐和乐器的描述是非常清晰认真的,不会混淆至用"琴"来
称谓"琵琶",就连当时社会上最为盛行的弹拨类乐器,文献
中以秦琵琶(指直项、圆盘型琴体、多品、手弹),琵琶(指曲
项、半梨形琴体、四柱、拨弹)和五弦(指直项、稍小的半梨形
琴体、四柱、手弹或拨弹)分而述之,加以区别。这与近现代
人们将"琴"作为乐器的总称有所不同。因此,同时代的北宋
琴僧义海对这个争辩的观点是"欧阳公一代英伟,然斯语误
矣。"欧阳修生活在复古之风盛行的北宋,在当时文人们心目
中,正统的古琴音乐不能弹成这种情感激荡、缓急对比的风
格,而只有琵琶才会有这样的音乐表现力。

　　两宋时期的古琴艺术在特定的时代背景下,被重新树立
起"正统"音乐的地位,文人士大夫的积极参与和推动,使琴
曲的思想深度和艺术表现都较前代有很大提高。两宋时期
的帝王都喜爱古琴,宋太宗赵匡胤好琴,曾命宫中的琴待诏
朱文济,把七弦的古琴加二弦而变为九弦琴。宋徽宗赵佶热
爱琴艺,曾广搜天下名琴藏于专设的"万琴堂"。北京故宫博
物院收藏着一幅描绘宋徽宗赵佶弹琴的《听琴图》,画中主人
公赵佶,居中坐于石墩上,黄冠缁服作道士打扮。他微低着
头,双手置琴上,轻轻拨弄着琴弦。听者三人,右边一人纱帽
红袍,俯首侧坐,一手支撑着石墩,一手持扇按膝,神态像全
然陶醉在动人的曲调之中。左边一人头戴纱帽,身着绿袍,
拱手端坐,抬头仰望,似视非视,正像被美妙的琴声所吸引。
在他的旁边,站立着一位童子,双手抱胸,远远地注视着主人
公,正在用心倾听。听琴者有着不同的神态,惟妙惟肖,栩栩

如生。这幅画作的背景和道具处理得十分简练，主人公背后有松树一株，松下有竹数竿，苍翠欲滴，折旋向背，摇曳多姿。一张琴桌，一个案几，几上放置一个熏炉，香烟袅袅。整个画面气氛静谧，仿佛阵阵的琴声伴着微风吹动松叶之声。画面的右上角有赵佶所写瘦金书字体的"听琴图"三字。宋徽宗在政治上不是一位有头脑的帝王，但却是一位有所成就的艺术家，他的瘦金体和书画作品有很高的艺术价值。

古琴曲《潇湘水云》是南宋琴家郭沔的代表作，乐谱最初见于朱权辑刊的《神奇秘谱》，其中解题有："是曲者，楚望先生郭沔所制。先生永嘉人，每欲望九嶷，为潇湘之云所蔽，以寓惓惓之意也。"说明了作者创作此曲的历史背景：元兵南侵时，郭沔移居到湖南衡山附近，常常泛舟游于潇、湘两条河流的汇合处，

宋徽宗赵佶《听琴图》

每当远望九嶷山被浩瀚的水云所遮蔽，便引发他对秀丽山河的感叹和国势渐衰的惆怅，于是创作了《潇湘水云》，以寄托眷念之情。乐曲借助云水掩映，烟波缭绕的景象描写，抒发对山河残缺，时势飘零的感慨和荡气回肠的爱国热情。这首

情景交融,寓意深刻的古琴曲被历代琴家们所推崇。此曲在明代原为十段:1. 洞庭烟雨 2. 江汉舒晴 3. 天光云影 4. 水接天隅 5. 浪卷云飞 6. 风起云涌 7. 水天一碧 8. 寒江月冷 9. 万里澄波 10. 影涵万象。明代《西麓堂琴统》解释该曲"其播弄云水,有扁舟五湖之思。抚弦三叹,不觉胸次洞然。"《潇湘水云》至清代发展为十八段。乐曲由飘逸的泛音开始进入碧波荡漾的意境,充分利用古琴的吟、猱、绰、注等演奏技法,音乐反复围绕着主旋律变化展开。第九、十、十一,三段一气呵成,是全曲的高潮部分。高、低音区大幅度地交替,泛音、散音、按音各种音色巧妙地组合,交织成一幅天光云影、气象万千的图画。全曲音乐风格波澜起伏、气势磅礴,既是一幅优美而内涵丰富的风景画,又是一首具有爱国主义思想的优秀音乐作品。乐曲旋律优美动听、结构章法布局严谨合理、内容与技巧完美统一,在历代古琴曲中享有极高声誉。

明清时期流行的琴曲《平沙落雁》,又名《雁落平沙》或《平沙》。作者相传有唐代陈子昂、宋代毛敏仲、明代朱权等,众说不一。此曲琴谱最早载于明末的《古音正宗》(1634)。琴曲问世以后,深受琴家的喜爱,不仅广为流传,而且经过加工发展,形成段数、定弦、调式、意境等方面不尽相同,又各具特色的多种版本,是传谱最多的琴曲之一。仅 1962 年出版的《古琴曲集》第一集中就收录了六位琴家的演奏谱。现存《平沙落雁》的版本较多,各种琴谱的解题也不尽一致。对其曲情的理解,有人认为"取清秋寥落之意,鸿雁飞鸣"来描写秋天景物,有人则认为"取秋高气爽,风静沙平,云程万里,天际飞鸣,借鹄鸿之远志,写逸士之心胸",表达的是一种古代士大夫虽有济世之志,但更愿选择归隐山水之心境。全曲旋律悠扬起伏,绵延不断,基调静美,静中有动。细致地描绘了雁群飞来、欲落将落、惊而复起、或落或飞、引吭哀鸣的神态,音乐借助对雁群降落前在天空盘旋的描绘,表达出一种缥缈的心绪和高远的意境。

《渔樵问答》的曲谱最早见于明代萧鸾编撰的《杏庄太音续谱》(1560)中,解题为:"古今兴废有若反掌,青山绿水则固无恙。千载得失是非,尽付渔樵一话而已。"乐曲反映的是一种隐逸之士对渔樵生活的向往,希望摆脱凡尘俗事的羁绊。《琴学初津》的解题中说:"曲意深长,神情洒脱,而山之巍巍,水之洋洋,斧伐之丁丁,橹声之欸乃,隐隐现于指下。"它透过渔夫和樵夫在大自然中悠然自得的生活状态,来表达对世事变幻无常的感叹,以及追求精神上的超脱和与世无争的理想。乐曲的曲调悠然自得,以渔夫和樵夫对话这一事件为主题,上升的音调代表问句,下降的音调表示回答,上下句的呼应造成渔樵对答的情趣。音乐逐渐变化发展,并不断加入新的音调,如划桨摇橹的声音,加之滚拂技法、切分节奏的使用,至中后部逐渐形成乐曲的高潮。琴曲《渔樵问答》使人想起晋代文学家陶渊明那首著名的诗句:"结庐在人境,而无车马喧。问君何能尔,心远地自偏。采菊东篱下,悠然见南山。山气日夕佳,飞鸟相与还。"乐曲表达出对文人归隐生活的向往与赞美。

我国现存最早的古琴谱集是成书于明朝洪熙元年(1425)的《神奇秘谱》,编印者朱权(1378—1448)是明太祖朱元璋第十七子,明成祖朱棣之弟,曾被封为宁王,死后谥"献",故又称"宁献王",自号"臞仙"。为躲避王室内部争戮,整日闭门读书,不问国事。他广泛涉猎诗文史籍、诸子百家,多才多艺,尤其在音乐与戏曲上均有较高造诣。朱权善于斫琴,近代琴家杨宗稷《琴学丛书》中有:"明宁、衡、益、潞四王皆能琴,潞琴最多,益次之,宁、衡最少。"明代王公贵族爱琴之风颇盛,由宁献王朱权所制"飞瀑连珠"琴至今流传于世,被誉为明代第一琴,此琴造型大气、音色清越、金徽玉足。琴面涂大漆,大漆下为朱砂红漆,琴面上散布着细密的"小流水断纹"和"梅花断纹"。《神奇秘谱》的编撰历时12年,正如编者所言"屡加校正,用心非一日",从上千首宫藏秘谱中挑选出琴曲64首,分成上、中、下三卷。上卷"太古神品",包括《广陵散》《古风操》《高山》《流水》《酒狂》《小胡笳》等"昔人不传之秘"的唐、宋以前古曲16首。这些琴曲谱式古老,多为唐宋以前的古曲,保留着早期传谱的原始风貌。中、下卷"霞外神品"共48曲(中卷27曲,下卷21曲),较多地保留了宋元时期浙派琴乐的某些风格。据说此卷为朱权本人"亲授者三十四曲",如《梅花三弄》《长清》《白雪》《乌夜啼》《大胡笳》《离骚》以及南宋浙派名家的作品《潇湘水云》《樵歌》等,均属历代古琴名曲。

《神奇秘谱》对于研究隋唐宋元时期的古琴艺术,尤其是宋末浙派琴家的琴曲作品,意义尤为重大。朱权在选编琴曲时,能够尊重各家、各派不同的传谱,反对强求一律,着重保留它们本来的面貌。编者认为"操间有不同者,盖达人之志焉""各有道焉,所以不同者多,使其同,则鄙也!"正是基于这样的思想,《神奇秘谱》中许多传谱虽源自徐门浙派,却不像后世那样强调"徐门正传"。在艺术上容许不同风格并存的态度,无疑是十分可贵的。这也是《神奇秘谱》的特点之一。特点之二,是在每首乐曲的开始都有较为详细的解题,不仅介绍乐曲的表现内容,而且对每首琴曲在历史上的源流演变都有简明清晰地梳理,成为后人理解琴曲的重要依据,因此《神奇秘谱》是研究古琴作品极为重要的文献。

俗字谱、工尺谱与音乐作品

　　唐代常用的记谱方式除了古琴减字谱外，还有一种宋代人称之为"燕乐半字谱"的记谱法。燕乐半字谱是由笔画简易的汉字偏旁半字符号组成，故称"半字谱"。当时有管色谱和弦索谱两种形式，前者发展成宋代的俗字谱，后者以唐代琵琶谱和五弦琵琶谱为主。1900 年在敦煌藏经洞发现《琵琶谱》写卷及《琵琶二十谱字表》各一件，是国内唯一发现的唐代"弦索谱"。这些乐谱因被用于抄写经卷，因此又称为"敦煌卷子谱"或"敦煌曲谱"。该谱由 20 个谱字书写，表示四弦四项曲项琵琶的 20 个音。这份琵琶曲谱正面是公元 933 年（五代后唐明宗长兴四年）抄写的"仁王护国般若波罗密多经文"，反面抄有琵琶曲谱 25 首，包括《倾杯乐》《西江月》《长沙女引》等 25 首乐曲。由于燕乐半字谱的读谱法久已失传，"敦煌琵琶谱"曾如天书般难以解读，自 20 世纪 30 年代以来，国内外学者林谦三（日本）、毕铿（英）、叶栋、何昌林、席臻贯、陈应时等对这批曲谱进行艰苦地解译工作，取得了一系列丰硕的成果。解读这些珍贵的曲谱，能够让我们拨开历史的层层迷雾，惊喜地听到"近似"唐代音乐的遗声。

　　俗字谱是宋代流行的一种记谱法，也是明清时期广泛流行的工尺谱的一种早期形式。它是用十个基本谱字代表十个不同的音高，按固定唱名记谱。南宋音乐家姜夔的代表作《白石道人歌曲》中的 17 首词调歌曲采用了俗字谱记写。《白石道人歌曲》在中国古代音乐史上具有重要的研究

价值，这是一本珍贵的歌曲集，共收录词作 80 首，其中 17
首带有曲谱。在这本曲集中，姜夔用三种记谱法记录三类
不同形式的歌曲，包括用律吕字谱记写的 10 首祀神曲《越
九歌》；用减字谱记写的 1 首琴歌《古怨》；用宋代俗字谱记
写的 17 首词调歌曲。17 首歌曲中，《霓裳中序第一》和《醉
吟商小品》是姜夔记录的古曲。宋光宗绍熙二年(1191)，他
在诗人杨万里家，遇见一位琵琶乐工，会弹奏久已失传的
《醉吟商·胡渭州》古调，姜夔向她虚心学习了该曲的调弦
法，填词编成《醉吟商小品》。《白石道人歌曲》中还有一首
填词之作——《玉梅令》，曲调是诗人范成大所写，作品用梅
花的高洁比喻范成大受人尊重的高尚品格。其余 14 首皆
为他所创作的自度曲，所谓"自度曲"，即自制新曲之意，先
有文辞，后制曲谱，突破了传统"倚声填词"创作的局限，结
构更加自由。在每首"自度曲"前，他都写有小序说明该曲
的创作背景和动机，对于后人理解乐曲提供了第一手材料。
代表作有《扬州慢》《杏花天影》《鬲溪梅令》《长亭怨慢》《暗
香》《疏影》《徵招》《角招》等。

　《扬州慢》是姜夔词调歌曲的名作。这首词写于宋孝宗
淳熙三年(1176)的冬天，姜夔出游途经多次惨遭金兵侵袭的
扬州，回想起这座曾经繁华的商业都城，而今战争洗劫后的
扬州已是空荡凄凉的萧条景象。抚今追昔，写下《扬州慢》以
寄托对昔日扬州城的怀念和对祖国山河破碎的哀思。词前
的小序对写作时间、地点及写作动因均作了交待。序云："淳
熙丙辛日，予过维扬。夜雪初霁，荠麦弥望。入其城，则四顾
萧条，寒水自碧，暮色渐起，戍角悲吟。予怀怆然，感慨今昔，
因自度此曲，千岩老人以为有《黍离》之悲也。"作者自叙创作
这首歌曲曾被萧德藻(即千岩老人)以为乐曲表现如"黍离之

悲^①"一般的悲哀情绪。

《扬州慢》曲谱

细细品读这首《扬州慢》，思绪会随着作者的情思而起伏，悲从景生，哀从心起。姜夔终身是布衣百姓，不可能带兵杀敌，也没有像岳飞、辛弃疾那样大丈夫般的英雄气概，但用他最为擅长的方式把自己对国事的关怀融入词作中，委婉含蓄。姜夔音乐和诗词作品的产生和他的个人身世以及他所生活的年代密切相关。姜夔生活在南宋王朝和金朝南北对峙的历史时期，民族矛盾和阶级矛盾复杂而尖锐，南宋朝廷接受了屈辱的议和条件，偏安江南一隅，过着穷奢极欲的生活。南宋人民的抗金情绪十分高涨，此时的知识分子多数有两种表现：一是以辛弃疾为代表的文人志士，大胆喊出心中

————————————

① 此典故出自《诗经·五风·黍离》篇，写的是西周时一位大夫在周平王东迁之后，路过西周旧地，见到西周宫庙所在地黍稷丛生。悼念故园，心中伤感，做成《黍离》一诗。

的义愤,推动抗金的斗争;另外一类则以姜夔为代表,虽然对当时的政治和社会现实不满,对生活在异族压迫下的苦难人民寄予同情,但因为清客身份的局限,自己沉溺于哀怨和忧郁的情绪中,没有勇气振臂疾呼,只能借助诗作间接地表达个人的爱国情愫。姜夔的晚年和辛弃疾往来频繁,经常为辛弃疾的雄心大志而感动,这一点从两人的诗作中能够反映出来。

姜夔的另一首词调歌曲代表作《杏花天影》,以写景咏物、叹息身世飘零和情场的失意为基调,影射出南宋中原山河破碎而统治者偏安一隅的社会现实。其创作技巧在格律、旋法、结构、调式转换等方面都精心安排,形成一种独特的抒情风格。从《杏花天影》的序中,我们得知姜夔在1186年的冬天乘船由汉口出发,1187年初路过金陵,泊船于秦淮河上。此时的他怀想起东晋王献之和桃叶的爱情故事,触动作者思念恋人的情思。同时,联想到自己漂泊的生活,心中不禁生发出感伤的愁绪,于是写下这不朽的传世之作。

姜夔的词调作品具有怎样的艺术特征呢?大致可概括为:注重音律、情感真挚、格调清新、韵味清远、曲调优美。作品内容以个人的情感经历为依托,抒发出对人生悲苦的感慨和对国家危难的忧虑。这些词调歌曲都是不折不扣的宋代歌曲,歌词旁注的宋代俗字谱是近世工尺谱的早期形式。这批800多年前的古谱,为研究宋代音乐提供了极为重要的文献资料。在我国古代音乐的音响和曲谱大部分失传的情况下,姜夔的《白石道人歌曲》保留下来的曲谱有着重要的历史地位与研究价值。20世纪50年代,当时中央音乐学院民族音乐研究所的杨荫浏先生等人到陕西调查民间音乐,发现西安大批鼓乐社的器乐谱,其书写方式竟然和姜夔《白石道人歌曲》的曲谱几乎相同,于是杨先生参考鼓乐社的乐谱,在前人和自己多年研究的基础上,将《白石道人歌曲》中的俗字谱译成现代乐谱编成《白石道人歌曲研究》一书,内容包括杨先生的考释以及一首琴歌和17首词调歌曲的译谱。同时,北京大学中文系的阴法鲁先生将其中的歌词翻译成现代汉语,并简要介绍了姜夔的生平和词作。

明清时期的曲谱,除古琴仍沿用减字谱,雅乐沿用律吕字谱之外,一般的音乐形式均用工尺谱记写。这一时期的工尺谱是在明代中叶以后流行的昆腔基础上形成的,最早见于明代朱载堉"灵星小舞谱曲谱",至明末清初逐渐定型,广泛应用到戏曲、声乐、器乐等各个领域。因用工、尺等谱字记写唱名而得名。明清时期在民歌、曲艺、戏曲、器乐中应用很广泛。近代常见的工尺谱,一般用合、四、一、上、尺、工、凡、六、五、乙等字作为表示音高(同时也是唱名)的基本符号,相当于 sol、la、si、do、re、mi、fa(或升 fa)、sol、la、si。同音名高八度,则可将谱字末笔向上挑,或加偏旁"亻",如上字的高八度写作"上"或"仩";反之,同音名低八度,则可将谱字的末笔向下撇。工尺谱的节奏与强弱标记,称为"板眼"。板代表强拍,眼代表弱拍,共有散板、流水板、一板一眼、一板三眼、加赠板的一板三眼等形式。比如散板就是自由节奏;流水板是每拍都用板来记写,类似 1/4 的节奏;一板一眼由一个板与一个眼组成,相当于一强一弱的 2/4 拍;一板三眼由一个板和三个眼组成,类似于今天的 4/4 拍;加赠板的一板三眼,只有在昆曲的南曲中才有,大致相当于 4/2 节拍。工尺谱的记写格式,通常用竖行从右至左记写,板眼符号记在工尺字的右边。

中国第一部正式刊行的琵琶曲谱集由清代文人华秋苹编订,名为《华秋苹琵琶谱》,简称《华氏谱》。华秋苹(1787年—1859年),江苏无锡人,别号借云馆主人。他自幼酷爱金石篆刻,工书善画。在音乐方面有突出的才华,擅弹古琴,尤其精通琵琶。他与七弟华文桂等人共同考订、整理,编成《琵琶谱》3卷,收录了南、北两派琵琶小曲62首,大曲6套,于嘉庆二十三年(1818年)刊行。上卷收录有《十面埋伏》等乐曲14首,中卷有《思春》《昭君怨》等小曲49首,下卷有《将军令》《霸王卸甲》《海青拿鹤》《月儿高》和《普庵咒》等大曲5首。华氏编订时不加增改,忠实于旧谱,并参照古琴的减字谱式,拟订了较为完整的琵琶指法谱字,并用工尺谱点板记写,旁注指法。对琵琶的定弦、把位、指法等加以规范化,为后世琵琶曲谱的记录、编订奠定了基础,对于琵琶传统古曲的整理、保存和传播有开创性的意义。

刊印于清光绪二十一年(1895)的《南北十三套大曲琵琶新谱》,是继华秋苹《琵琶谱》后出版的最为重要的一本琵琶谱。李家为琵琶世家,五代操琴,李芳园在家庭的熏陶下,精心钻研,技艺超群,自誉"琵琶癖",在江浙一带影响较大。他在传统古曲的基础上,广采博取江浙一带的民间小曲,编订指法,整理汇编成《南北派十三套大曲琵琶新谱》,有《浔阳琵琶》《阳春古曲》《满将军令》《郁轮袍》等13曲,附初学入门小曲9首。奠定了传统琵琶曲的基础,形成独特的琵琶理论和演奏体系。由此,以李芳园为代表的平湖派琵琶,成为近代音乐史上重要的琵琶流派之一,对后来琵琶艺术的发展有着深远的影响。

中国目前所见第一部器乐合奏曲谱集由清代蒙古族文人荣斋等人编撰,名为《弦索备考》,成书于嘉庆十九年(1814),以抄本形式传世。全谱用工尺谱记写,收有琵琶、三弦、筝、胡琴四种弦乐器的合奏乐曲13套,故又名《弦索十三套》。全书6卷,共10册。卷一是指法和汇集谱(总谱),卷二至卷六是各种乐器的分谱,分谱计有琵琶谱11曲、弦子谱

11 曲、胡琴谱 13 曲、筝谱 13 曲。序言称这些乐曲为"今之古曲",由此表明至少是 18 世纪之前的作品。乐曲有:《合欢令》《将军令》《十六板》《琴音板》《清音串》《平韵串》《月儿高》《琴音月儿高》《普庵咒》《海青》《阳关三叠》《松青夜游》《舞名马》。2009 年 11 月 14 日在中国音乐学院的国音堂举办"清代古谱《弦索备考》全本音乐会",由中国音乐学院古筝演奏家林玲、中央音乐学院三弦演奏家谈龙建、琵琶演奏家张强、二胡演奏家薛克共同演绎了这部经典的传世之作。这是一次严谨、完整、精湛的复原古代音乐的音响实践,全本十三套作品近三小时的演奏建立在扎实的乐谱研究成果之上,使承载着珍贵文化价值的音乐遗产《弦索备考》重现其生命力。

《九宫大成南北词宫谱》是中国戏曲音乐的一部重要曲谱集,简称《九宫大成》。清代庄亲王允禄奉乾隆帝旨编纂,吸收许多民间艺人共同参与工作,于乾隆十一年(1746)编成。全书 82 卷,单体曲牌有南曲 1 513 曲,北曲 581 曲,共 2 094 曲。加上各种变体曲 2 372 个,共有 4 466 曲。此书上溯唐宋,下迄明清,记录北套曲 185 套,南北合套 36 套。谱中详举各种体式,曲牌内容包括唐宋诗词、大曲、南戏、杂剧、金元诸宫调、元明散曲、明清传奇等。书中详举各种体式,分别标明工尺、板眼、句读,包含千余年的历史文化遗产,内容十分丰富,是研究南北曲音乐的一部内容丰富的参考资料。

明清时期宫廷中和社会上编印曲谱的风气十分盛行,古琴、戏曲、琵琶、器乐合奏等各类曲谱集相继刊印,成为我国古代保存曲谱数量最多的一个时代。究其原因,主要是由于几百年间戏曲艺术和器乐艺术的繁荣,社会上对于乐谱的需求量急剧增加。而各类曲谱编撰者以精通戏曲和音乐的文人为中坚力量,他们或整理宫廷所藏秘谱,或搜求民间传承的古谱,为保存和传播优秀的民族音乐文化作出了历史贡献。另外，明清时期戏曲、说唱、古琴、琵琶等各种音乐艺术形式所使用的记谱法也日益成熟和普及，使得记录这些音乐作品以留存后世成为可能。这些曲谱集的问世使明清时期以及明清之前的许多音乐作品保存下来，为后人提供了认识和研究古代音乐作品的重要依据。

原典选读

1. 然《广陵散》曲，世有二谱。今予所取者，隋宫中所收之谱。[①] 隋亡而入于唐，唐亡流落于民间者有年，至宋高宗建炎间，复入于御府。[②] 仅九百三十七年矣，予以此谱为正，故取之。[③]

——《神奇秘谱》

2. 昵昵儿女语，恩怨相尔汝。划然变轩昂，勇士赴敌场。[④] 浮云柳絮无根蒂，天地阔远随飞扬。喧啾百鸟群，忽见孤凤凰。跻攀分寸不可上，失势一落千丈强。[⑤] 嗟余有两耳，未省听丝篁。自闻颍师弹，起坐在一旁。推手遽止之，湿衣泪滂滂。[⑥] 颍乎尔诚能，无以冰炭置我肠。[⑦]

——《全唐诗》

3. 淮左名都，竹西佳处，解鞍少驻初程。[⑧] 过春风十里，尽荠麦青青。[⑨] 自胡马窥江去后，废池乔木，犹厌言兵。[⑩] 渐

---

① 古琴曲《广陵散》存世有两个谱本，我现在选取的是隋代宫廷所收的谱本。

② 隋代灭亡后进入唐代宫廷，唐代灭亡之后在民间流落多年。至南宋高宗建炎年间(1127—1130)，又再次进入宫廷。

③ 它历经 937 年了，我以此谱本为正宗。

④ 琴声袅袅升起，轻柔似儿女耳鬓厮磨，窃窃私语。琴声骤然变得昂扬激越起来，就像勇猛的战士挥戈跃马冲入敌阵。

⑤ 接着琴声又由刚转柔，就像那浮云柳絮无根无蒂，天地广阔高远，随风飞扬。琴声又如百鸟齐鸣，忽见在众鸟之中有只孤傲的凤凰引颈长鸣。它一心向上，饱经跻攀之苦，音调低伏如那攀登的凤凰，一失势直落下万丈深渊。

⑥ 可叹啊，我空有两只耳朵，却不懂得音乐，未能深谙其中的奥妙，但听颍师弹琴让人感动，起坐难安。我伸出手阻止你继续弹琴，是因泪水滂滂早已打湿了我的衣服。

⑦ 颍师，你弹琴有这样的好功夫，可别再把冰与火一同填入我的肝肠。

⑧ 扬州是淮南著名的都城，竹西亭美好的风景，我解下马鞍驻足停留。

⑨ 昔日的扬州如此风光绮丽，而如今的扬州却是一片青青的荠菜和野麦了。

⑩ 自从高宗时金人两次南侵，古都扬州只剩下荒废的池台和高大的古树，而劫后幸存的人们不愿再提起那几次可怕残酷的战争。

黄昏,清角吹寒,都在空城。① 杜郎俊赏,算而今,重到须惊。纵豆蔻词工,青楼梦好,难赋深情。② 二十四桥仍在,波心荡、冷月无声。念桥边红药,年年知为谁生!③

——《白石道人歌曲》

4. 绿丝低拂鸳鸯浦,想桃叶当时唤渡。④ 又将愁眼与春风,待去,倚兰桡更少驻。⑤ 金陵路,莺吟燕舞。算潮水知人最苦。⑥ 满汀芳草不成归,日暮,更移舟向甚处?⑦

——《白石道人歌曲》

---

① 天气渐渐进入黄昏,戍楼上又吹起了凄凉清苦的号角,使人感到阵阵寒意,号角声在空城上回荡。

② 纵使杜牧有卓越的鉴赏才能,到如今看到古都扬州的今昔沧桑之变,一定会十分吃惊。即便"豆蔻"词语再精工,青楼美梦的诗意再好,也难以表达此时悲怆的深情。

③ 二十四桥仍然还在,桥下江中的波浪空自荡漾,凄冷的月色,处处寂静无声。怀念桥边的红芍药,还是一年一度地盛开着,可它们是为谁生长为谁开放呢?

④ 鸳鸯浦上飘浮着低垂的柳丝,我想起桃叶当年曾在这里呼唤小舟摆渡。

⑤ 我忧愁的眼神在春风里眺望,正待离去,倚靠着木兰船桨,停泊稍作驻足。

⑥ 金陵路上,处处有莺歌燕舞。只有那潮水最知道我心中的苦楚。

⑦ 岸边处处长满芳草,却没有归路,此刻已黄昏日暮,重新移动小船,驶向何处?

音乐思想与著作

历史上每一个时代的政治、经济面貌发生深刻变化之后，人们的审美观念必然随之而改变，而这种改变给音乐带来的冲击往往是巨大的，甚至直接导致音乐形态的转型。或者说，中国音乐的形态和风格随着人们审美风尚的变化而在不断地变化之中。音乐思想是在一定历史条件下，人们在音乐作品与创作实践基础上产生的艺术观念之集中体现，反映的是一个历史阶段人们对音乐现象及其本质规律的思考与体悟。

先秦音乐思想的百家争鸣

　　春秋战国时期是中国历史上社会变革激烈、文化转型剧烈的时期，也是思想空前活跃、学术自由发达的时代。所谓"诸子峰起，百家争鸣"，在奴隶制向封建制转变的过程中，代表不同政治立场和价值观念的各个流派粉墨登场。如果说西方文化的精神家园在古希腊，那么中国文化的生命根基源于周代。尤其在那个"礼崩乐坏"的时期，一群有着不同性情的思想家们或四处游说，或扬名杏坛，他们共同铸造了东方人的思想核心，其世界观、价值理念、思维方式构成一幅两千多年前中国人的精神图景。更为重要的是，根植于这一历史时期的文化与思想一直影响到今天，因此这个时代也被学者们称为中国文化的"轴心时代"①。中国古代史上第一批真正的思想家由此诞生。

从史籍记载和出土文物中,我们似乎能够穿越遥远的时空感受到当时丰富多彩的音乐生活,在诸子百家激烈的论辩中,关于音乐的社会作用曾是他们争论的重要内容,产生了许多曾在中国历史上发挥过重要作用,甚至影响至今的音乐审美观。学术界常把这一时期音乐思想的争鸣归纳为以儒家、墨家和老庄学派为代表的三个流派。他们从不同角度所阐述的"乐"可以归纳为提倡音乐、否定音乐和崇尚自然之乐三类。

孔子(前551—前479),名丘,字仲尼,春秋时期鲁国曲阜人。是我国古代伟大的政治家,思想家和教育家,同时也是一位具有丰富音乐实践的音乐家。从《论语》和《史记·孔子世家》的记载中可知,孔子十分喜爱音乐,他在歌唱、弹琴、击磬、作曲以及音乐鉴赏方面都有很高的造诣。《论语·述而》中记载:"子与人歌而善,必使返之,而后和之。"他听到一个人唱歌唱得好听,一定要请这个人再唱一遍,然后自己再去和他一同唱。孔子很重视音乐在教育中的重要性,充分肯定音乐对于建立良好社会秩序和改造社会风气的作用。他提出"移风易俗,莫善于乐;安上治民,莫

---

① "轴心时代"(Axial Age)理论是由德国存在主义哲学家雅斯贝尔斯(Karl Theodor Jaspers,1883年—1969年)在1949年提出,主要体现在他的《历史的起源与目标》和《哲学概论》两部著作中。他认为公元前800年至公元前200年之间,尤其是公元前600年至前300年间是人类文明的"轴心时代"。其发生的地区大概是在北纬30度上下。这个时代是人类文明和精神的重大突破时期,世界各大文明都出现了伟大的精神导师——古希腊有苏格拉底、柏拉图、亚里士多德;以色列有犹太教的先知们;古印度有释迦牟尼;中国有孔子、老子……他们提出的思想塑造了不同的文化传统。虽然中国、印度、中东和希腊之间有着千山万水的阻隔,但它们在轴心时代的文化却有很多相通的地方。"轴心时代"的理论在20世纪80年代介绍到中国。

善于礼"，强调音乐能够对改善社会风气、教化人心起到无法替代的作用。孔子认为一个人完美人格的塑造过程是起于学诗，建立于礼，而最终完成于乐，即所谓"兴于诗，立于礼，成于乐"。由此可见，孔子将乐的学习看作是陶冶性情和完善修养的必要手段，这种思想可以看作是"为人生而艺术"的典型代表。

孔子对周公制礼作乐，以安定天下的做法十分推崇，重视"礼""乐"的兼备对人的重要作用。他把"六艺"之学作为讲学的基础内容，向学生传授"诗""书""礼""乐"等知识，培养学生树立以"仁"为核心的思想信仰，他曾说："人而不仁如礼何？人而不仁如乐何？"一个人如果失去内心的"仁"，那"礼"该如何运用呢？在他看来，"仁"是人与人之间的真情实感，是人的内心世界，是"礼"与"乐"的内在依据。而"礼"与"乐"体现在人们的行为举止、仪表形态等方面，又是人情感的外在表达，是"仁"的表现形式和实现途径。孔子说："不学礼，无以立。""礼"的教化功能在于培养人的理性自觉，人要立足于世间，就必须学"礼"。只有这样，才能正确地认识世界、认识自身，才能自觉地规范自己的言行。"乐"的教化功能与"礼"不同，它直接作用于人的感觉和情感。孔子一生都在维护和践行着西周建立的礼乐制度，并将其进一步发扬深化，形成一套具有深刻美学意义的音乐主张。

孔子对艺术和音乐的理想追求是文质彬彬、尽善尽美。《论语·雍也》记载："子曰：质胜文则野，文胜质则史。文质彬彬，然后君子。"这段话是孔子对艺术审美的认识和评价，他认为一个人的气质如果质朴胜过文采会粗野，文采胜过质朴会虚华，只有质朴和文采得当兼备，才可以成为君子。这一表述与他对于《韶》乐以"尽善尽美"的评价是趋于一致的。《论语·述而》记载了孔子在齐国听到《韶》乐的故事，原文不加标点是"子在齐闻韶三月不知肉味",后面一句:"曰不图为乐之至于斯也。"①再看一下关于这则故事距离《论语》时间最近的《史记·孔子世家》中的记载:"孔子适齐,为高昭子家臣,欲以通乎景公。与齐太师语乐,闻韶音,学之三月不知肉味,齐人称之。"这段文字与《论语》所载主旨基本相同,但文字有所出入。大意是说孔子 35 岁那年到齐国,做了高昭子的家臣,想借高昭子的关系接近景公。孔子与齐国太师讨论音乐,听《韶》乐,学习了三个月似乎不知肉的香味儿,齐国人因此称赞孔子。这是西汉史学家司马迁笔下对孔子听韶乐的记载,这个版本故事的重心是告诉我们《韶》乐美得让孔子陶醉其中,意在称赞孔子学习音乐的投入精神。孔子的确很推崇《韶》乐,他曾说"《韶》尽美矣,又尽善也。"在孔子看来,《韶》乐是一部思想性和艺术性兼备、内容和形式高度统一的音乐作品,"尽善尽美"也成为影响后世评价艺术作品的标准。

儒家评价艺术作品内容上是以"德"为上,艺术形式上"和"为美,认为好的音乐是"中和""纯正"的。《论语·八佾》中有孔子对于《关雎》的评价,"《关雎》乐而不淫,哀而不伤",这种音乐情感表达的适度,是孔子"中庸"的整体哲学思想在音乐上的反映,也可视为其音乐审美观的体现。儒家音乐思想的代表作《乐记·乐本篇》中有一段关于"声""音""乐"的论说,对我们理解儒家音乐思想的本质颇有启发意义。声、音、乐的区别在哪儿呢? 自然界有各种各样的自然声响,只

---

① 历史上对于这句话的注疏和解释有多种,至今史学界、音乐界对它的理解也不一致。该怎样断句更为合理呢?(是"子在齐,闻《韶》三月,不知肉味。"还是"子在齐闻《韶》,三月不知肉味。"两种断句方式皆能够讲得通,但就语义是否符合常理来看,似乎"闻韶三月"和"三月不知肉味"又都有其不太合情理之处。有的学者提出"三月"为"三日"之误,"三日"在今天现代汉语中指"几天"的意思,因为上古时期的有些用字与后世相比有很多变异,"日""月"两字或许是属形近而错写的现象。

要是有感觉器官的动物,都能感知这种响声。它们没有节奏,没有审美价值,这种杂乱无章的噪声,儒家称之为"声"。人比动物高明在哪里呢?人能够从自然界众多的声音中找出规律,将不同的音组成旋律,创作出风格各异的乐曲,用来表达不同的情感。儒家把这种有节奏、有旋律、有审美情趣的乐曲称为"音",相当于今天人们所说的"音乐",这是人比动物高明的地方。人类创作的"音"丰富多彩,不同风格的音乐给人的感受是千差万别的。儒家将那些对文化建设和社会风气有益、对人们有道德教化作用的"音",明确界定为"德音",这才是君子贵族们所应该追求的"乐"。

孟子(前 372—前 289),名轲,战国时期鲁国邹人。《孟子》一书七篇,约成书于战国中期,是孟子的言论汇编,由孟子及其弟子(万章、公孙丑等)编撰而成。记录了孟子与其他诸家思想的争辩,包括治国思想、政治主张以及对弟子的言传身教、游说诸侯等内容。南宋大儒朱熹将《孟子》与《论语》《大学》《中庸》合在一起称"四书",自从宋代以来成为科举考试的必考内容。孟子在音乐上提倡"王与民同乐",认为只有这样才能达到"王天下"的目的。他的思想同样也以"仁"为核心,"仁言不如仁声之入人深也。"认为单纯的道德说教不如音乐的美深入人心,从而产生更多的感动和教育作用,他所提倡的音乐便是"仁声"。他的这种音乐观,是以"民为贵,社稷次之,君为轻"的"民本"思想为认识基础的,与其政治立场相符。孟子从礼和仁的角度发展了孔子的音乐思想,并且在审美和艺术特征上有创新。

"与民同乐"是孟子重要的政治主张之一。他认为作为统治者的王应该与百姓一同娱乐、一同分享快乐。《孟子·梁惠王下》记载了一段孟子与齐宣王的对话:有一天,孟子去见齐宣王,说:"听说大王喜欢欣赏音乐,有这样的事吗?"齐宣王很不好意思地说："我并不是喜欢古代的音乐，只是喜欢现在的流行音乐罢了。"按照当时等级制度的规定，作为一国之君，理应是爱好先王之乐的。但孟子既没有批评他过分喜欢音乐，也没有批评他不爱好"古典音乐"，只喜欢"流行音乐"，而是进行适时地引导，希望他能够做到"与民同乐"。南宋朱熹对"与民同乐"这一章注解说："与民同乐者，推好乐之心以行仁政，使民各得其所也。"也就是说，孟子所谓的"与民同乐"，就是要求统治者把自己的爱好之心推而广之，以施行一种爱民之政，也就是孟子所大力倡导的"仁政"学说。这段对话中孟子有一句"今之乐犹古之乐也"，是阐述世俗的音乐与古代雅乐在齐宣王"与民同乐"这一点没有本质的区别，为了突出"与民同乐之意则无古今之异耳"的思想，表达出为政者必须与民众同乐的道理。

墨子（约前 468—前 376），名翟（dí），春秋末期至战国初期鲁国滕州人。《墨子》是阐述墨家思想的著作，是其弟子根据墨子生平事迹的史料，收集其语录成书。原有 71 篇，现存 53 篇。墨家在先秦时期影响很大，与儒家并称"显学"。在当时的百家争鸣中，有"非儒即墨"之称。墨子的学说以实用为主，他站在庶民的立场，关注百姓的衣食住行，很多主张都是针对当时现实中的问题而发。他从现实的角度出发，对儒家的崇尚礼乐以及王宫贵族"厚措敛乎万民"享受音乐的行为，提出"非乐"的主张，极其反对音乐，他的观点在《非乐》上篇（下篇散佚）有系统阐述。这种"非乐"观与他提出的"兼爱""非攻""尚贤""尚同""节用""节葬"等都属于他代表性的政治主张。

他认为音乐解决不了百姓的"三患"，即"饥者不得食，寒者不得衣，劳者不得息"，是有害无益的活动。他认为音乐虽然动听，但是会影响农民耕种，妇女纺织，大臣处理政务，上不合圣王行事的原则，下不合人民的利益，所以反对音乐活动。如《墨子·非乐》篇记载："使丈夫为之，废丈夫耕稼树艺之时；使妇人为之，废妇人纺绩织纴之事。今王公大人，唯毋为乐，亏夺民衣食之财，以拊乐如此多也。是故子墨子曰：'为乐，非也！'"他认为如果让男子奏乐，就荒废了他们耕种田地的时间；让女人奏乐，就耽误了他们纺线织布的劳动。所以墨子说："从事音乐活动，是不对的。"《非乐》文中反复多次出现"为乐非也"，旗帜鲜明地反对音乐。

墨子代表了当时小生产者和劳动者的利益，认为进行音乐活动不仅劳民伤财，还会亡国，"又弦歌鼓舞，习为声乐，此足以丧天下"。墨子站在劳动者的立场上，否定音乐的社会作用，反对统治阶级的奢侈生活，认为制作大钟、大鼓等乐器会耗费大量人力、物力而加重人民的苦难，这些都有其合理的一面。但墨子从实用的、功利的角度看待音乐活动，否定音乐作为一种艺术形式具有的独特审美价值，无视音乐对于人们精神世界的作用，而与物质生产对立起来，因此这些"非乐"主张则有失偏颇。

老、庄学派的代表人物是老子和庄子。老子（约前580—前500），字聃，相传是春秋时期哲学家，其思想集中体现在《老子》一书中，但《老子》版本问题颇为复杂，有可能产生于战国时期。全书五千字，所论中心为一个"道"字。认为道是万物之本，"道生一，一生二，二生三，三生万物"。世间一切均由道而生。道的地位是崇高无上的，所谓"人法地，地法天，天法道，道法自然"。世间之道既无声又实际存在，道的法则是顺应自然。老子学说的精华是他的朴素辩证法思想，他认为世间一切事物皆有正与反两个方面，它们是相互对立而又相互依赖、相互补充、相互影响和相互作用的。① 认识到这一点是我们理解和阐释老子音乐思想的前提。

《老子》第二章有："有无相生，难易相成，长短相形，高下相倾，音声②相和，前后相随。祸兮，福之所倚；福兮，祸之所伏。天下莫柔弱于水，而攻坚强者莫之能胜。"由此可见，音声与有无、长短、高下、前后、福祸是并列关系，都是指两个意思相对的字组。老子的音乐观以"大音希声"（出现在《老子》第四十一章）为代表，对于"希"字在《老子》第十四章有十分简洁的表述，即"听之不闻名曰希"，将"希"含义明确为"听之不闻"。关于"大音"之"大"字，与原文之前的"大方无隅"、之后的"大象无形"并列阐述，"大"无疑是具有相同意义的，是一个极具赞美意义的形容词，用现代汉语解释"大"可以译为最好的、最高的、至高无上的意思。《老子》认为真正的音乐之道在于"希声"，最好的音乐是听之不闻，是无声，认为各种变幻的音响使人耳朵发聋（"五音令人耳聋"），就如同缤纷混杂的色彩使人眼睛昏花（"五色令人目盲"），甜、酸、苦、辣、咸各种味觉会使人口味败坏（"五味令人口爽"）一样。对此，我们应从辩证法的角度去理解老子所提出"大音希声"的观念，《老子》全书以自然否定人为，以无为否定有为，相对应地在音乐上以无声否定有声，这些思想看似有其消极的一面，但"大音希声"一词对于形容看不见、摸不着的抽象的音乐艺术而言，不能不说有其相通和贴切的一面，它启迪人们透过纷繁复杂的表象，超越外在的音响层面去把握音乐艺术的本质

---

① 《老子》中使用了许多反义的概念，如有无、难易、长短、高下、音声、前后、虚实、强弱、外内、开合、去取、宠辱、得失、清浊、直枉、多少、大小、轻重、静躁、雄雌、白黑、吉凶、张敛、兴废、刚柔、厚薄、贵贱、进退、阴阳、损益、寒热、生死、祸福等等。

② 如前面《乐记·乐本篇》中对于声、音、乐不同含义的区分，"音"与"声"二字在早期文献中被定位于两个层面，不能含糊地将二者理解为今天的"音乐"。这里"音"是悦耳的音或音响，"声"指不悦耳的音或音响。

与真谛。

庄子(约前369—前286),名周,战国中期人。《汉书·艺文志》著录五十二篇,今本三十三篇。其中"内篇"七篇,"外篇"十五篇,"杂篇"十一篇。目前学界一般认为"内篇"的七篇文字肯定是庄子所写,大体可代表战国时期庄子思想的核心;"外篇"十五篇可能是庄子的弟子们所写,或者是庄子与其弟子合写;"杂篇"十一篇情形就更复杂些,应掺杂后来庄子的后学所写。崇尚自然的哲学思想被庄子发挥得更为淋漓尽致,他主张"法天贵真""独与天地精神往来",向往精神上的逍遥自在,在形体上也试图达到一种不需要依赖外力而能到达的自然境界。庄子认为人的精神要顺从自然的法则,宇宙与人的关系是"天人合一",追求内心精神的愉悦和一个物我双忘的、澄明虚静的心境。

他将声音分为:天籁,地籁,人籁三种。认为"人籁"(泛指一切人为之乐)不如"地籁"(大自然的音响),"地籁"不如"天籁"(合乎客观规律与自然本性的音乐),而只有"天籁"才无所依凭,"听之不闻其声,视之不见其形,充满天地,苞裹六极",这种自然之乐无时不在、无处不在,而又变幻莫测,无从感知。其哲学思想透露出对本真、自然之乐的极力推崇,反对等级观念鲜明的、用音乐束缚人心的礼乐。庄子所提出"至乐无乐",其实与音乐思想并无直接关系。他认为真正之快乐不是世俗所追求的"富贵寿善"这样的快乐,因为这种世俗的快乐是导致人们痛苦的根源,只有抛弃世俗之乐才能获得"至乐"。"心斋""坐忘"便是通往"至乐"精神境界的手段,保有宁静淡泊的心灵,保持自我,不被异化。在当今物欲横流、人心浮躁的社会,庄子的快乐观仍然具有现实意义。

老庄音乐美学思想的共同之处,在于否定当时盛行的贪图感官声色享乐的音乐,竭力排斥因物质文明的进步而带来的人的种种贪欲。同时也否定儒家从实用、功利的目的出发,把音乐艺术看成是政治和礼仪的一部分。老庄音乐思想在中国古代音乐美学史上有其重要地位,历代古琴作品中有很多是体现老庄美学思想和情怀的,如《渔樵问答》《庄周梦蝶》《极乐吟》等。

在百家争鸣中,春秋战国时期诸子百家所提出的音乐主张虽然各不相同,但他们理论的出发点都是基于当时的现实生活,与夏、商、西周三代对天、对神、对王的尊崇最为不同的是,此时的士人开始了对音乐与人及其内在情感的关注。这一时期的论乐文字和它们反映出来的音乐思想对于中国古代音乐美学的发展具有奠基意义,尤其对于音乐的社会作用这一哲学命题的论述,影响着其后近两千年的中国音乐史。当我们今天遥望先贤们那些富有智慧的言语时,不得不感慨他们的精神所释放出的永恒价值。

汉魏时期音乐思想的一尊与突破

《乐记》是我国最早一部具有完整体系的音乐理论著作。旧传 23 篇,现存前 11 篇,同时保存在《礼记》和《史记》中。关于《乐记》的作者和成书年代,历来存在分歧。有人认为该书系战国时期孔子再传弟子公孙尼子所作,有人认为是西汉大学者刘向、刘歆父子采用先秦诸家音乐言论编撰而成。刘向对于《乐记》的传世功劳很大,这部书因他而载入史册,并编入国家书库。目前学术界多数人的观点是《乐记》成书于西汉,其思想资料来源于先秦诸子言乐事者。此书从音乐的产生说起,在理论上阐述了音乐与人生、音乐与社会的关系,引导人们如何利用音乐来修炼身心,透过音乐来观察社会,通过音乐来调节世道人心,借助音乐移风易俗,引导和改善民众的精神和道德水平。篇目有"乐本篇""乐论篇""乐礼篇""乐施篇""乐情篇""乐言篇""乐象篇""乐化篇""魏文侯篇""宾牟贾篇"和"师乙篇"。前八篇论述的是儒家的音乐美学思想,后三篇是有关音乐人物及其言论的记录。

首先,在先秦音乐思想的总结方面。《乐记》的核心内容是系统地论述了儒家的礼乐思想,对"礼"和"乐"的社会功能与作用及其相互关系第一次进行全面而系统的理论总结,这是论述周代社会礼乐文化体系最具价值的篇章。内容大致可分为四个方面:

其一,关于乐的产生与本质。《乐记》认为乐是通过声音来表现情感的,人的情感来自对现实生活的反映,肯定音乐是表达感情的艺术。"凡音之起,由人心生也,人心之动,物使之然也。"不同的情感可以从不同的音乐中表现出来，"乐者，音之所由生也；其本在人心之感于物也。是故其哀心感者，其声噍以杀；其乐心感者，其声啴以缓；其喜心感者，其声发以散；其怒心感者，其声粗以厉，其敬心感者，其声直以廉；其爱心感者，其声和以柔：六者非性也，感于物而后动。"①意思是说，引起悲哀的情感时，发出焦虑急促的声音；引起快乐的情感时，发出舒畅和缓慢的声音；引起发怒的情感时，发出粗暴严厉的声音；引起敬重的情感时，发出正直而庄重的声音；引起慈爱的情感时，发出柔和的声音。以上哀、乐、喜、怒、敬、爱六种情感，会发出相应的六种声音的变化，因此不同的情感会以不同的声调表现出来。关于对音乐美感的认识，它反复强调"夫乐者，乐也，人情之所不能免也。"认为音乐应该使人产生愉悦的感受，是人类生活所不可缺少的。

其二，关于乐与政治的关系。《乐记》强调音乐反映一个国家的政治状况与社会风气，乐所表达的思想感情与人们所处的社会政治状况是紧密相联的，因此乐教能促使政治清明，社会秩序稳定。"是故审声以知音，审音以知乐，审乐以知政，而治道备矣。"②认为国家的统治者应该注重把乐作为考察时政的手段，通过乐来观风俗、知盛衰。《乐记》还认为音乐是治理国家不可缺少的手段，把音乐的谐和看作是宇宙万物谐和规律的体现。并将音乐与道德、法律、政治同等看待，所谓"礼、乐、刑、政，其极一也"。

其三，关于乐教的功能。《乐记》提倡合乎伦理道德的音乐，认为乐与伦理道德相通，懂得了乐便知晓了礼。"是故不

---

① 王文锦译解：《礼记译解》（下册），乐记第十九，中华书局，2001 年 9 月，第525 页。

② 王文锦译解：《礼记译解》（下册），乐记第十九，中华书局，2001 年 9 月，第528 页。

知声者,不可与言音;不知音者,不可与言乐。知乐则几于礼矣。"①礼、乐都懂得,才谓之有德。认为乐是人德性的真实表现,是人真情的流露。《乐像篇》中有这样一段话表达了音乐与道德修养的关系,认为只有音乐是不能作伪的,一个人内心的道德品质,可以从乐中反映出来。"乐也者,圣人之所乐也,而可以善民心,其感人深,共移风易俗,故先王著其教焉。"音乐能感化人心,培养人的道德品质,改变社会风俗,因此先王设置专门的官吏来施行乐教。

其四,关于礼和乐的关系。《乐记》中对礼与乐的联系与区别作了全面、深入的论述,认为乐教一定要与礼教相结合,因为礼乐是相辅相成,互为补充的。乐发于内心,以情感人,以德化人,礼从外在行为、制度上规范人。如"礼以导其志,乐以和其声""礼节民心,乐和民声""大乐与天地同和,大礼与天地同节",礼的基本功能是规范人的等级、节制人的行为。乐的基本功能是陶冶人的情操、提升人的境界。一个人如果只有"礼教"而缺乏"乐教",就会成为一个呆板、拘束的人;如果只有"乐教"而缺乏"礼教",就会成为一个放荡不羁的人。《乐记》十分辩证地论述礼和乐的关系,"乐者为同,礼者为异。同则相亲,异则相敬"②,乐强调同,礼强调异。"乐者,天地之和也;礼者,天地之序也。和,故百物皆化;序,故群物皆别"③,乐使天地间和谐,礼使天地间有序。礼与乐各有其本质、特点和作用,同时,它们又是互相联系、不可偏

---

① 王文锦译解:《礼记译解》(下册),乐记第十九,中华书局,2001 年 9 月,第528 页。

② 王文锦译解:《礼记译解》(下册),乐记第十九,中华书局,2001 年 9 月,第531 页。

③ 王文锦译解:《礼记译解》(下册),乐记第十九,中华书局,2001 年 9 月,第533 页。

废的。

在音乐人物及其言论方面,《乐记》现存三篇音乐谈话录,《宾牟贾篇》记述的是孔子和学生宾牟贾的谈话,讨论的主要问题是周代乐舞《大武》以及孔子对它的评价。《魏文侯篇》记录了魏文侯和孔子的学生子夏的对话,魏文侯是战国时期一位热爱音乐、注重文化建设的一国之君,他委任孔子的学生——当时著名的大儒子夏为国师,俩人讨论的中心问题是雅乐和郑卫之音的不同音乐形态及对它们的评价。《师乙篇》记述的是当时的歌唱教师师乙和孔子的学生子贡的谈话,俩人讨论的是关于歌唱方法、风格等理论问题。这些言论为今人认识和研究先秦时期的音乐面貌提供了有价值的文献资料,通过对于不同历史人物、不同音乐观念的了解,也使我们能够从一个侧面认识春秋战国时期音乐发展的状况。

《乐记》是先秦儒家音乐美学思想的集大成者,对中国古代音乐思想的发展有着深刻影响。虽然它的产生距今已有两千多年的岁月,但对于今天人们理解先秦礼乐思想以及音乐的社会功能仍然是极为重要的著作。先秦礼乐文明是中国历史上礼乐文化的开创和奠定时期,书中很多闪烁着智慧光芒的言论和丰富的音乐思想对于今人认识中国礼乐文化具有不可替代的历史价值。

当然,任何一本历史著作都有其鲜明的时代烙印和无法回避的时代局限性。对于《乐记》而言,有些内容被后人所批判,比如它过分强调音乐与伦理道德、音乐与国家政治的关系,宣扬音乐的教化人心之功用重要于音乐的艺术性等,这些观点被历代封建社会的统治者所利用和异化,成为教育民众和衡量音乐高低的标尺,对两千多年中国封建社会的音乐审美观产生了极为重要的影响。

魏晋时代的音乐家以阮籍、嵇康、阮咸等文人士族群体为代表,他们的生平、音乐活动及历史贡献在本书"音乐家"部分已有介绍,其中阮籍、嵇康的音乐文论是这一时期音乐思想的集中反映,为避免内容重复,在此只论述他们有关音乐的著作。

三国时代魏的思想家、文学家、音乐家阮籍(210—263),他早年受到传统儒家思想的影响,有济世之志,但时代的变故使其价值观改变,转而信奉老庄,与几位志同道合者结游竹林,弹琴吹箫、嗜酒任性、不拘礼法、不与世事。阮籍才华横溢,以 82 首《咏怀诗》最为著名,第一首有"夜中不能寐,起坐弹鸣琴"的诗句,表明阮籍经常用弹琴排解心中的苦闷之情。除诗歌之外,他还长于散文和辞赋。阮籍的成长过程中,其思想和人生态度经历了很大变化,少年的阮籍接受的是正统的儒家教育,这种思想在他早期作品《乐论》中集中表现出来。他认为,如今天下大乱,世风不古,可通过音乐来救赎人心,与儒家提倡的"移风易俗,莫善于乐"观点相一致。胸怀大志的阮籍走向社会后渐渐认识到,儒家思想只不过被统治者当成教化人民的工具,虽然在老庄的世界里,无法"平天下",却能独善其身,保持内心的自由,所以他选择了逃避。《乐论》详细阐述了音乐如何融合"名教"与"自然",以达到儒、道相合的目的。

《乐论》有很多思想直接继承了《乐记》,十分肯定音乐的社会作用,强调音乐与政治的密切关系,严厉地排斥郑卫之音,维护着儒家"雅颂之乐"的传统音乐思想。比如"夫正乐者,所以屏淫声也。故礼废则淫声作。汉哀帝不好音,罢省乐府,而不知制正礼乐,法不修,淫声遂起。……礼废则乐无所立。尊卑有分,上下有等,谓之礼。人安其生,情意无哀,谓之乐。……礼定其象,乐平其心。礼治其外,乐化其内。礼乐正而天下平。"但《乐论》主要内容是提倡儒道互补、调和名教和自然的关系，他在文章一开始便表达出对音乐"自然之道"的理解，"夫乐者，天地之体、万物之性也。昔者圣人之作乐也，将以顺天地之体，成万物之性也"。认为音乐的本质是体现天地的精神和万物的本性。古人作乐是用以顺应天地的精神，以保存万物的本性。他巧妙地将老庄崇尚自然的人生观与儒家正统的礼乐观相结合，从"自然之道"出发论述音乐，但他看似融合儒道的背后，却是为礼乐的存在提供合理的理论依据，因此其美学倾向是儒家思想。

三国时代魏时另一位鼎鼎大名的思想家、文学家、音乐家是嵇康（223—262）。《晋书·嵇康列传》称他"学不师授，博览无不该通，长好《老》《庄》。……弹琴咏诗，自足于怀"。作为音乐家的嵇康，修养全面，擅长创作琴曲，弹奏《广陵散》"声调绝伦"。

《声无哀乐论》集中体现出嵇康守望音乐美学思想，也是一篇在中国古代美学史上极有分量的音乐论文。文章通过"秦客"（是嵇康假设的一位儒家音乐思想的代表人物）与"东野主人"（作者本人）之间的八次辩论，讨论的中心问题是声（泛指音乐）到底有没有哀乐之情感？嵇康认为音乐本身的变化和美与不美，与人在情感上的哀乐是无关的，即所谓"声音自当以善恶为主，则无关于哀乐，哀乐自当以情感而后发，则无系于声音"。音乐本身并没有悲哀与欢乐的情感，哀乐之情感是人们早已存在于内心的，并非音声本身所有，只不过是受到音乐的触动而表现出来。他提出"声无哀乐"的观点，即音乐是客观存在的音响，哀乐是人们的精神被触动后产生的感情，两者并无因果关系，并由此提出"心之与声，明为二物"的著名论断。音乐是自然产生的，不包含哀或乐的情感内容，更无关乎国家社稷。

《声无哀乐论》是嵇康对儒家"音乐治世"思想直接而集

中的批判。嵇康大胆反对了两汉以来无视音乐具有独立的艺术性,将音乐服务于政治的做法。《声无哀乐论》要求音乐摆脱名教的束缚,反对统治者将音乐作为名教的工具,主张音乐要体现人的本性和精神的自由,这是对以《乐记》为代表的传统音乐思想的大胆挑战,具有革新的意义。文章中不仅讨论了音乐有无哀乐、音乐能否移风易俗,还涉及音乐美学上的一系列重大问题,即音乐的本体、音乐鉴赏、音乐的功能等。嵇康积极肯定音乐的娱乐、美感作用,如"宫商集比,声音克谐,比人心之至愿,情欲之所钟"。认为音乐能够给人以极大的美感和审美欲求,而否定音乐的教化、道德作用。《声无哀乐论》反映出的主张音乐脱离封建政治功利的音乐思想与主张"礼乐刑政"并举的官方音乐思想,构成了中国封建社会中音乐美学思想两大潮流的源头。作于公元 3 世纪的《声无哀乐论》所体现出的观点与奥地利音乐学家爱德华·汉斯立克(1825—1904)的音乐美学著作《论音乐的美》中的学术论点十分相近,但两者所在时、空距离却如此之远,从这一点来说,《声无哀乐论》在世界音乐美学史上也具有重要的意义。

隋唐时期的华戎并采

公元 581 年,北周隋王杨坚称帝建立隋朝(581—618),结束了中国近 400 年的南北分裂局面。杨坚主张礼乐治国,他在位期间多次下令讨论律吕、制定雅乐。"开皇乐议"是开皇年间(581—600)在朝廷中展开的一场有关音乐制度的争议。由于当时太常寺的雅乐已经融入了许多西域歌舞,刚刚建立的隋朝急需制礼作乐,以巩固王位的威严,树立国家的形象。《隋书·音乐志》记载了隋文帝杨坚下诏征求精通音乐的大臣、乐官们集合于尚书省,专门讨论制定雅乐的史实,历史上称之为"开皇乐议",这场持续了多年的讨论会实际上反映的是有关如何对待外来音乐文化与传统音乐文化关系的问题。

参加"开皇乐议"者有沛国公郑译、邳国公苏威和他的儿子苏夔、国子监博士何妥以及乐工万宝常。"开皇乐议"争论的焦点表面上是制作雅乐时该运用何种宫调的问题,实际上关系到一个时代的音乐思潮及其走向。比如郑译提出使用"八十四调"宫调体系(七声十二律旋相为宫),而苏夔进行反驳,认为每宫只用五种调式,没有变宫、变徵两种调式。在调式音阶的使用上,郑译与苏夔两人都提出用"正声音阶"的主张,何妥则反对采用"七调",坚持只采用流传于民间的"清商三调"。最后,还是由何妥制作了只用"黄钟一宫"的雅乐,称黄钟象征着皇帝的德行。隋文帝大为高兴,说:"滔滔和雅,甚与我心会。"因此隋代的雅乐只奏黄钟宫调,"唯奏黄钟一宫,郊庙飨用一调,迎神用五调",由此看出隋文帝音乐思想的保守与局限。这场始于开皇二年,止于开皇十四年的关于文艺政策的大辩论历经十年才告一段落,"是时竞为异议,各立朋党,是非之理,纷然淆乱"。

与隋代统治者维护古乐、排斥新声的思想不同,唐代统治者太宗李世民的音乐观具有兼收并蓄、轻雅重俗的特点,在封建社会的帝王阶层中难得一见,显示出一位政治家在文化建设和音乐事业上的远见卓识。《贞观政要·礼乐》中记载了唐太宗与他的君臣之间讨论音乐问题的一段对话,在《旧唐书·音乐志一》《新唐书礼乐志十一》以及《资治通鉴·唐纪·太宗贞观二年》中亦有记载,文字稍有出入,但因《贞观政要》(定稿于 720 年)成书年代最早,以此为据。

这段对话涉及音乐的审美以及与政治的关系问题。在唐太宗看来,哀心感者,听后自然感到悲哀,乐心感者,听后则高兴不已,音乐情感完全在于主体而不在客体。这种观点明显与嵇康的《声无哀乐论》有相通之处,即认为音乐本身不具有悲哀和欢乐的情感。太宗认为要客观地看待音乐与政治的关系,不能过分夸大音乐的社会功能,因为国家的兴旺在于政治,而不在音乐。但另一方面他认为音乐虽然不能决定政治的兴衰,但人民生活安居乐业,音乐也必然和谐,积极地肯定音乐对政治的作用。唐初制定雅乐时,太常少卿祖孝孙奏道:"陈、梁旧乐,杂用吴、楚之音;周、齐旧乐,多涉胡戎之伎。于是斟酌南北,考以古音,作为大唐雅乐,以十二律各顺其月,旋相为宫。"(《旧唐书·音乐志》)可见这种雅乐实际上是将来自梁朝和陈朝的南方民间音乐与来自北魏和北齐的北方民间音乐,斟酌考量,加以古风,制作而成。也从一个侧面反映出唐太宗对于前朝音乐遗产的开明作风与宽容态度:他对前朝音乐既不一概排斥,也不会全盘接受,而是有选择地吸收和摒弃。尽管与坐、立部伎所代表的宫廷燕乐的繁荣相比,唐代的雅乐乐工最受轻视、地位较低(白居易《立部伎》),但与其他朝代相比,唐朝雅乐依然显示出它的宏伟气派。

作为中唐音乐的见证人,诗人白居易以文人特有的敏感和卓越的才华为我们描绘出中唐时期的音乐文化面貌,他是一位对音乐有深切领悟的诗人,也是一位优秀的音乐评论家。他成功地用诗歌描绘歌舞的生动、描写音乐的美妙,代表作有《立部伎》《胡旋女》《五弦弹》《西凉伎》《骠国乐》《法曲歌》《霓裳羽衣歌》《琵琶行》等。如《废琴》一诗写道:"丝桐合为琴,中有太古声,古声澹无味,不称今人情。玉徽光彩灭,朱弦尘上生,废弃未已久,遗音尚泠泠。不辞为君弹,纵弹人不听。何物使之然,羌笛与秦筝。"这首诗作真实地描绘了古琴艺术在白居易生活的中唐时期的一种存在状态,在当时崇尚外来文化审美风尚的大潮之下,与琵琶、筚篥、箜篌、羯鼓等众多外来乐器相比,古琴"淡无味"的风格并不为大众所喜爱,因此在社会上古琴是备受冷落的。但是在文人圈中古琴音乐仍然有着其他乐器无法替代的魅力。在新声迭出的外来音乐充斥身边的情形下,依然将古琴视为自己的知音好友,这代表着当时大多数文人士大夫们对古琴艺术的态度,他们积极地发展古琴文化,使之在唐代进入兴盛发展的时期。白居易《船夜援琴》一诗体现出古琴在文人们精神世界的重要地位。"鸟栖鱼不动,夜月照江深。身外都无事,舟中只有琴。七弦为益友,两耳是知音。心静声即淡,其间无古今。"

白居易有关乐器的诗篇中,着墨最多的是古琴和琵琶。白居易是一个非常爱好龟兹乐的人,对于龟兹乐的主奏乐器琵琶更是感悟至深,他的《琵琶行》一诗堪称为诗作中的神品,非常形象地描绘出琵琶女的精彩演奏,成为中国历史上最为感人肺腑的音乐诗篇。《琵琶行》作于公元816年秋,当时白居易45岁,被贬为江州司马,这件事对他影响很大,是他思想变化的转折点,早年的锐气逐渐消磨,消极的情绪日渐其多。《琵琶行》作于他贬官到江州的第二年,作品借着叙述琵琶女的高超演技和她的凄凉身世,抒发了作者个人政治上受挫的抑郁悲凄之情,作品具有不同寻常的感染力。

《琵琶行》全诗共分四段。由“忽闻水上琵琶声,主人忘归客不发”到“寻声暗问弹者谁?琵琶声停欲语迟。移船相近邀相见,添酒回灯重开宴。千呼万唤始出来,犹抱琵琶半遮面。”第一段写琵琶女的出场,细致地描写出演奏者惭愧自己身世的沉沦,已不愿再抛头露面。未见其人先闻其琵琶声,未闻其语先已微露其内心之隐痛,为后面的故事发展造成许多悬念。第二段写琵琶女的高超演技。其中“转轴拨弦三两声”,是正式演奏前的调弦试音,便未成曲调先有情。而后从“大弦嘈嘈如急雨”到“四弦一声如裂帛”十四句,描写乐曲的音乐形象,它由快到慢、到细弱、到无声,到突然而起的疾风暴雨,再到最后戛然而止。从“此时无声胜有声”,到有突然而起的银瓶乍裂、铁骑金戈,使听者时而悲凄、时而舒缓、时而心旷神怡、时而又惊魂动魄。直到演奏已经结束,听者尚沉浸在音乐的意境中,周围鸦雀无声,只有水中倒映着一轮明月。第三段叙述了琵琶女自述的身世。自述早年曾在宫廷盛极一时,到后来年长色衰,飘零沦落。她当年在教坊虽年纪幼小,但技艺高超,为老辈艺人所赞服,被同辈艺人所妒忌。王孙公子迷恋她的色艺,常常为了请她演奏而不惜花费重金,她自己也放纵奢华,从来不懂什么叫吝惜。但随着她的年长色衰,贵族子弟们都已经不再上门,她仅有的几个亲属也相继离去,无奈只好嫁给了一个商人。商人关心的是赚钱,从来不懂艺术和情感,他经常独自外出,抛下这个可怜的女子留守空船。面对今天的孤独冷落,回想昔日的锦绣年华,对比之下,怎不让人伤痛欲绝、感慨万千呢！最后一段,诗人白居易由此想到自己的身世,抒发了与琵琶女的同病相怜之情,"同是天涯沦落人,相逢何必曾相识。"他以一个平等真诚的朋友、一个患难知音的身份,由衷地称赞和感谢琵琶女的精彩表演,并提出请她再弹一支曲子,而自己要为她写一首长诗《琵琶行》。琵琶女于是紧弦定调,演奏了一支更为悲情的乐曲。曲子弹毕使所有听者无不唏嘘成声,而此时的诗人呢,他的青衫前襟早已湿透了。这就是音乐的神奇力量,它是抚慰人们灵魂的语言,是人们情感交流的至高境界。

　　唐朝是我国封建社会文化艺术的黄金时代,在音乐理论方面保存着大量著述。如记述教坊制度、有关轶事及唐代乐曲内容和起源的《教坊记》,该书记录了作为唐代宫廷乐伎聚居之地的教坊,乐伎们日常生活以及学艺和演出情况。作者是开元年间曾任左金吾仓曹参军的崔令钦,安史之乱后,他流落江南,《教坊记》是他回忆当时教坊中的官吏为其所述的教坊见闻,具有较高的史料价值。再如第一部具有乐器专史性质的《羯鼓录》,作者为唐代羯鼓名手南卓,该著作记载了羯鼓的由来、羯鼓名手以及有关轶事,成书于 848 年。书中以较大篇幅记录唐代羯鼓名手的艺术经历和一些趣事,如写李隆基酷爱演奏羯鼓、厌恶弹奏古琴之事:"上性俊迈,酷不好琴。曾听弹琴,正弄未及毕,叱琴者出曰:'待诏出去!'谓内官曰:'速召花奴,将羯鼓来,为我解秽!'"花奴(即汝南王李琎)是李隆基侄子,为唐代羯鼓名手,击鼓技艺高超。书末有 128 首羯鼓曲名,为后人研究羯鼓提供了珍贵的史料。还有一部保存着极为丰富的唐代音乐史实的《乐府杂录》,它是研究唐代音乐的必读文献。该书由精通乐律,擅长作曲的段安节撰写,段安节是唐初名将段志玄的后裔,段志玄的三世孙段文昌即段安节的祖父,唐穆宗时官至宰相。《乐府杂录》一书广泛涉及唐代开元以后音乐、歌舞、杂技、乐器等问题的考证,如记述唐代著名歌手永新、张红红等人的事迹、唐代常用的琵琶、筝、箜篌、笙、笛、筚篥、五弦、方响、击瓯、琴、阮、羯鼓、鼓、拍板等各种乐器起源、演奏名手及有关轶事。

宋明时期音乐思想的"雅"与"俗"

　　音乐理论著作体现着一个时代的音乐研究特色,也反映着所属时代音乐文化的基本面貌与音乐风格。宋代的音乐著述相比较唐代而言,数量更多,且分类精细。这一时期产生了我国古代第一部音乐百科式的、规模宏大的理论著作——《乐书》。编撰者陈旸,字晋之,福建福州人。该书于徽宗建中靖国元年(1101)进献朝廷。他精于乐律,担任北宋时期神宗至哲宗时《乐书》的编撰工作。该书 200 卷,目录 20 卷。前 95 卷摘录《礼记》《周礼》《仪礼》《诗经》《尚书》《春秋》《周易》《孝经》《论语》《孟子》等文献中有关音乐的文字,并为之训义,着重阐述儒家的音乐思想。后 105 卷论述十二律、五声、八音、历代乐章、乐舞、杂乐、百戏等,对前代和当时的雅乐、俗乐、胡乐及乐器均有详尽说明。乐器图说中对不少乐器附图并加以介绍,其来源均取自现已散佚且少见于其他文献的唐宋时期乐书,保存了极为难得的古代音乐史资料,成为宋代最重要的音乐文献之一。同时这部规模宏大、资料丰富的音乐理论著作也反映了宋代音乐研究的高度成就。

　　我国最早一部琴史专著《琴史》,成书于 1084 年,作者是北宋朱长文(1038—1098),字伯原,号乐圃,江苏苏州人。全书共六卷,前五卷按时代顺序共收入先秦到宋代 156 位琴人的事迹,为历代琴家的述评,也可以看作是我国古代第一部有关琴人传记的文献。第六卷为琴学专题的论述,有《莹律》《释弦》《明度》《拟象》《论音》《审调》《声歌》《广制》《尽美》《志言》《叙史》11 个专题，论述琴的形制、弦徽、各部位名称、音调、琴歌、有关琴的美学理论等问题，集中体现出朱长文的史学观和音乐美学思想。有关中国音乐历史的记载很早就有，例如成书于战国时期的《吕氏春秋》有《古乐篇》等叙述音乐的来源等问题，西汉《史记》中的"乐书"开创了史书的体例以后，历代正史中均有音乐志或礼乐志的记载，这些音乐史志是作为综合书籍或历史典籍的组成部分而存在，而且琴学理论也作为宫廷雅乐的一部分被记录下来，它是儒家音乐思想的反映。《琴史》是中国古代音乐史学上第一部独立的古琴专门著作，它标志着中国古代琴学及其理论在北宋时期已经独立发展起来。

卷一按照历史时间的顺序先后叙述了尧、舜、禹、成汤、太王、王季、文王、武王、成王等九位历代圣贤之帝王，及其与琴相关的事迹，其后又介绍了周公、孔子、子路、曾子等 26 位贤人。卷二部分收录了师旷、师襄子、师文、师经、钟仪、伯牙、钟子期、邹忌、雍门周等宫廷乐师及民间琴人，以及卫女、百里奚妻等妇女弹琴的事迹，这在封建时代十分难得。卷三记录了汉、魏、晋时期的琴人琴事，如汉高祖、汉元帝、淮南王安、司马相如、师中、赵定、龙德、刘向、王昭君、桓谭、马融、蔡邕、蔡琰等人。卷四记写了魏晋南北朝隋唐的琴人，如王子猷、陶渊明、王僧虔、白乐天、董庭兰、薛易简、陈拙等，是内容比较丰富的一部分，所收琴家较多，反映了魏晋南北朝至隋唐时期七弦琴艺术的发展。其中对民间琴家的收录超过宫廷琴家，这既是当时存在的客观历史事实，同时也是朱长文的琴史观和历史观的反映。卷五为宋代琴人，有宋太宗、崔遵度、朱文济等十人。卷六是琴制、琴艺等方面的论述，在整体上反映出作者尊儒的思想与传统的琴乐观，如"音之生，本于人情而矣。夫遇世之治，则安以乐；逢政之苛，则怨以怒；

悼时之危则哀以思。此君子之常情也。出于情，发于中，形于声"。他认为弹琴不仅为己，也能为人，琴乐可以调气养神，如"古之君子不撤琴瑟者，非主于为己而也，可为人也。盖雅琴之音，以导养神气，调和情志，撼发幽情，感动善心。如人之听之者亦皆然也。岂如他乐，以蹈心堙耳，佐欢悦所，以为上哉"。关于琴乐与政通的观点，如"是故君子之于琴也，非徒取其声音而已，达则于以观政焉，穷则于以夺命焉"。

我国古代对声乐艺术的理论总结很早便有，早在《乐记·师乙篇》中就有专论歌唱表演和演唱者个性之间关系的内容，指出不同性格的人所适合演唱的歌曲也不同。"宽而静，柔而正者，宜歌《颂》；广大而静，疏达而信者，宜歌《大雅》；恭俭而好礼者，宜歌《小雅》；正直而静，廉而谦者，宜歌《风》；肆直而慈爱者，宜歌《商》；温良而能断者，宜歌《齐》"①。关于演唱的技巧、音乐的处理以及情感的抒发，《乐记·师乙篇》都有形象的阐述。

真正的专门论述声乐理论方面的著作是元代燕南芝庵所撰写的《唱论》。《唱论》是我国最早一部探索歌唱艺术的论著，全书共 31 节，不分卷，凡 1172 字。该书论述内容较为丰富，从对声音、唱字的要求，到艺术表现、乐曲的地方特色、审美要求及对歌者的评论等都有涉及，并有不少精辟之见。比如对声音的要求，"声要圆熟，腔要彻满"。《唱论》指出："续雅乐之后，丝不如竹，竹不如肉，以其近之也。"并进一步阐释说："取来歌里唱，胜向笛中吹。"这里"丝""竹"分别指器乐中的竹类乐器、丝类乐器，而"肉"是指发出嗓音的身体器官声带。之所以丝不如竹，竹不如肉，是因为"以其近之也"，

---

① 王文锦译解：《礼记译解》（下册），乐记第十九，中华书局，2001 年 9 月，第 563 页。

因为"肉声"更"近似于自然"。《唱论》作者强调的是歌唱艺术的感染力,认为感情的表达,最好的方式是通过属于自己身体的自然器官声带释放出来。实际上是将音乐门类中的声乐和器乐作比较,这是在"宋词""元曲"等声乐艺术高度发达的历史背景下,对于声乐艺术的推崇和认识。《唱论》作者不仅十分重视人声的表达作用,而且还对人声的嗓音和歌唱声音的类别等问题作了进一步的阐释。《唱论》云:"凡人声音不等,各有所长。有川嗓,有堂声,背合破箫管。"意思是在歌唱中,由于不同人体的声带条件和发声方法不同,会带来演唱上风格的各异。人声及其演唱风格也有"川嗓""堂声"的差别,因此应该有不同的声乐风格和歌唱特点。作者同时强调"背合破箫管",也就是说,无论何种类型的歌唱声音,总是要能够与乐器伴奏配合好。表明著者对于歌唱艺术的认识比较全面,了解歌唱艺术与伴奏音乐整体合作的重要意义。《唱论》是对宋元时期歌唱艺术实践经验的总结,为研究宋元时期的声乐艺术提供了重要的历史资料。

明清时期有关戏曲艺术的理论著述是我国封建时代文人在音乐研究方面取得令人瞩目的成果,反映了不同时代的音乐理论著述和音乐文化现象同步发展的历史趋向。如最早一部关于南戏的概论性著作《南词叙录》(作者明代人徐渭);一部戏曲批评方面的专著《词谑》(作者明代人李开先);最早一部关于系统地论述南北曲源流、声韵、宫调、戏曲创作及理论的著作《曲律》(作者明代人王骥德),以及明代魏良辅的《南词引正》(又名《魏良辅曲律》)、明代朱权的《太和正音谱》、明代沈宠绥的《度曲须知》、清代徐大椿的《乐府传声》、清代姚燮的《今乐考证》、清代李渔的《闲情偶寄》、清代李斗的《扬州画舫录》等均为有价值的戏曲论著,这些著作成果都集中反映了明清时期的文人群体在戏曲艺术的实践和理论方面所作出的突出贡献,成为我国古代戏曲音乐值得珍视的宝库。

明代著名思想家李贽(1527—1602),号卓吾,别号温陵居士。他一生崇尚自由,以异端自居,文章思想与儒家的传统学说相悖。李贽美学思想的理论基础和核心是"童心"说和"以自然之为美",在其《焚书·童心说》中有"夫童心者,真心也。……若失却童心,便失却真心,失却真心,便失却真人。"在《焚书·读律肤说》中有"盖声色之来,发于情性,由乎自然,是可以牵合娇强而致乎? 故自然发于情性则自然止乎礼义,非情性之外复有礼义可止也。"他认为音乐要服从于抒发人的情感的需要,而不应该受到儒家思想中礼义的束缚,突出地强调崇尚自然,返其天真的老庄思想。在具体谈到"声""音"等问题时,他认为"声音之道可与禅通",详细地举出伯牙学琴的事例,"夫伯牙于成连可谓得师矣,按图指授可谓有谱有法有古有今矣,伯牙何以终不得也? 且使成连而果以图谱、硕师为必不可已,则宜穷日夜以教之操,何可移之海滨无人之境、寂寞不见之地,直与世之瞢者等,则又乌用成连先生为也? 此道又何与于海,而必之于海然后可得也? 尤足怪矣! 盖成连有成连之音,虽成连不能授之于弟子;伯牙有伯牙之音,虽伯牙不能必得之于成连。所谓音在于是,偶触而即得者,不可以学人为也。瞢者唯未尝学,故触之即契;伯牙唯学,故至于无所触而后为妙也。设伯牙不至于海,设至海而成连先生犹与之偕,亦终不能得矣。唯至于绝海之滨、空洞之野,渺无人迹,而后向之图谱无存,指授无所,硕师无见,凡昔之一切可得之传者今皆不可复得矣,故乃自得之也。"这段话表明音乐之道并非语言、文字可以传达,只能亲自领悟,对音乐的体验别人不可代替,从此意义上讲,音乐与禅理、佛性是可以相通的。

　　李贽有关琴论的文字,见于《焚书·琴赋》。他对起源于《白虎通·礼乐》中的"琴者,禁也,禁人邪恶,归于正道"思想提出挑战,继承并发扬了道家"法天贵真""越名教而任自然"的批判精神,认识到音乐艺术的独特魅力,主张琴乐要抒发人的真实情性,表现真实的个性。李贽音乐美学思想可以说是继魏晋名士嵇康的"声无哀乐论"以后,崇尚自然、反对名教的愿望在音乐美学领域的反映。在李贽看来,手与琴的关系,犹如风与树的关系——树声离不开风,琴声离不开手。李贽的论点让人想到苏东坡曾有"若言琴上有琴声,放在匣中何不鸣;若言声在指头上,何不于君指上听"一诗。苏、李二人的共同点是都主张琴与手(指)的互动和不可分离,只是李贽比苏东坡更进一步,主张手是作为心的代言者作用于琴的,"琴所以吟其心",是因为"手吟其心"。

　　在古琴音乐的审美方面,明末清初的《溪山琴况》系统地论述古琴艺术的美学原则,对其后琴坛的影响极为深远,可誉为是一本古琴美学集大成之作。作者徐青山,原名上瀛,又名谼,号青山,江苏娄东(太仓)人。明末清初著名琴家,虞山琴派集大成者,被誉为"今世之伯牙"。曾参与抗清,后隐居于吴门。幼年时在家乡师从琴家陈星源、张渭川学琴,他兼收各家之长而独创一格,在艺术上取得相当高的造诣。他编著《大还阁琴谱》,吸收了《雉朝飞》《乌夜啼》《潇湘水云》等以快速见长的名曲,琴风"徐疾咸备",弥补了虞山琴派创始人严天池只求简缓而无繁急的不足,在严天池的基础上丰富和发展了虞山派的琴艺和琴风。这本著作由虞山派琴家徐上瀛作于崇祯十四年(1641 年),是对明末以前古琴表演艺术和经验的高度总结,以"二十四况"来论述古琴艺术的演奏及意境,将他对中国传统哲学之儒、道、佛思想的理解融入古琴美学的阐述中,它与汉代成书的《乐记》、魏时嵇康的《声无哀乐论》一起成为中国音乐美学史上的经典作品。

　　徐上瀛根据宋代崔尊度"清丽而静，和润而远"的原则，仿照中唐司空图《二十四诗品》、明代冷谦的《琴声十六法》进一步提出二十四琴况，即从古琴演奏到琴乐审美的一整套美学思想，原文刊于《大还阁琴谱》。所谓"琴况"，指琴乐审美之况味，"二十四况"即和、静、清、远、古、淡、恬、逸、雅、丽、亮、采、洁、润、圆、坚、宏、细、溜、健、轻、重、迟、速。有学者认为也可以四字一组来理解，例如从"和、静、清、远"到"轻、重、迟、速"。徐上瀛将其著作取名为"琴况"，意在将琴声、琴乐作为审美对象进行观照，品味其情趣，正如他自己所说："琴音之中有无限滋味，玩之不竭。"

　　第一况"和"，是儒家伦理道德观念中的重要范畴，开篇写道："稽古至圣，心通造化，德协神人，理一身之性情，以理天下人之性情，于是制之为琴。其所首重者，和也。……"把中国儒家美学中体现"中庸之道"的哲学思想及审美理念的"和"，看作音乐艺术最为重要的美学原则。从弦、指、音、意四个方面探讨了四者的内在联系，作者说"吾复求其所以和者三：曰弦与指合，指与音合、音与意合、而和至矣"，由演奏的技巧谈到内心的审美，借以说明"和"在琴乐演奏与审美中的不同层次与内涵。《溪山琴况》不仅以"和"作为二十四况之首，而且对其他诸况中关于琴乐审美的论述也以"和"为纲，围绕"和"况而展开。并且把"淡和""清和""和静""清淡"作为最高的审美境界和审美标准，同时也提出"雅""丽""亮""采"等美学要求，让一味追求"清、微、淡、远"的琴乐美学风格变得丰富多彩。比如"静"况中有："声厉则知指躁，声粗则知指浊，声希则知指静，此审音之道也。盖静由中出，声自心生，苟心有杂扰，手指物挠，以之抚琴，安能得静？惟涵养之士，淡泊宁静，心无尘翳，指有余闲，与论希声之理，悠然可得矣。所谓希者,至静之极,通乎杳渺,出有入无,而游神于羲皇之上者也。约其下指工夫,一在调气,一在练指。调气则神自静,练指则音自静。……"几句话里包含了琴声与按指的关系、琴声与心境的关系、"静"的最高境界与标准等诸多问题。再如"丽"况中有:"丽者,美也,于清静中发为美音。丽从古淡出,非从妖冶出也。……"作者不仅阐明琴乐的审美原则,而且提出一整套古琴演奏技法的要求及其美学思想。如"凡弦上取音,惟贵中和,而中和之妙用全于温润呈之。若手指任其浮躁,则繁响必杂,上下往来,音节俱不成其美矣。故欲使弦上无煞声,其在指下求润乎?""五音活泼之趣半在吟猱,而吟猱之妙处全在圆满。宛转动荡,无滞无碍,不少不多,以至恰好,谓之圆。"

　　《溪山琴况》的音乐美学思想是建立在古琴音乐实践基础之上,综合了个人的表演感受和审美体验,在前人审美思想的启发下,形成的具有系统美学思想和丰富实践意义的著作。中国的诗词、绘画、音乐、书法等艺术都讲求"意境"或"意韵",并以其作为艺术审美的最高境界。对于"画外之境""言外之意""弦外之音"的追求也是古琴艺术审美最为讲究的要素。《溪山琴况》历来被琴家视为必读的琴书之一,它为后人研究古琴的演奏及美学思想提供了丰富的历史经验。

原典选读

1. 凡音者，生于人心者也。乐者，通于伦理者也。① 是故知声而不知音者，禽兽是也。知音而不知乐者，众庶是也。② 唯君子为能知乐。③

——《乐记》

2. 庄暴见孟子，曰："暴见于王，王语暴以好乐，暴未有以对也。"曰："好乐何如？"④孟子曰："王之好乐甚，则齐国其庶几乎！"他日，见于王曰："王尝语庄子以好乐，有诸？"⑤王变乎色，曰："寡人非能好先王之乐也，直好世俗之乐耳。"曰："王之好乐甚，则齐其庶几乎！今之乐，犹古之乐也。"⑥曰："可得闻与？"曰："独乐乐，与人乐乐，孰乐？"曰："不若与人。"曰："与少乐乐，与众乐乐，孰乐？"曰："不若与众。"⑦

——《孟子·梁惠王下》

3. 夫天下之所尊者，富贵寿善也；⑧所乐者，身安厚味美

---

① "音"，产生于人的精神世界；"乐"，则和伦理道德相通。

② 所以，禽兽只知道"声"而不了解"音"，普通百姓只能了解"音"而不懂得"乐"。

③ 只有君子才能真正懂"乐"的含义。

④ 庄暴进见孟子，说："我朝见齐宣王，大王和我谈论喜好音乐的事，我没有话应答。"接着问道："喜欢音乐怎么样？"

⑤ 孟子说，"大王如果非常喜好音乐，那齐国恐怕就治理得很不错了！"几天后，孟子在进见宣王时问道："大王曾经和庄子谈论过爱好音乐，有这回事吗？"

⑥ 宣王脸色一变，说："我并非喜好先王的古乐，只不过喜好当下世俗流行的音乐罢了。"孟子说，"大王如果非常喜好音乐，那齐国恐怕就治理得很不错了！在这件事上，现在的俗乐与古代的雅乐差不多。"

⑦ 宣王说："能让我知道是什么道理吗？"孟子说："独自娱乐的快乐，和人一起娱乐的快乐，哪一种更快乐呢？"宣王说："不如与他人一起娱乐更快乐。"孟子说："和少数人一起娱乐的快乐，与和多数人一起娱乐的快乐，哪一种更快乐呢？"宣王说："不如与多数人一起娱乐更快乐。"

⑧ 世俗人所追求的是富有、华贵、长寿、善名。

服好色音声也；①所下者，贫贱夭恶也；②所苦者，身不得安逸，口不得厚味，形不得美服，目不得好色，耳不得音声。③

——《庄子·至乐》

4. 是故治世之音，安以乐，其政和。④ 乱世之音，怨以怒，其政乖⑤亡国之音，哀以思，其民困。⑥ 声音之道，与政通矣。⑦

——《乐记》

5. 德者，性之端也。乐者，德之华也。⑧ 金石丝竹，乐之器也。诗，言其志也。歌，咏其声也。舞，动其容也。三者本于心，然后乐器从之。⑨ 是故情深而文明，气盛而化神，和顺积中，而英华发外。⑩ 唯乐不可以为伪。⑪

——《乐记》

6. 太常少卿祖孝孙奏所定新乐。太宗曰："礼乐之作，是圣人象物设教，以为樽节，治政善恶，岂此之由？"⑫御史大夫杜淹对曰："前代兴亡，实由于乐。陈将亡也为《玉树后庭

---

① 所欢乐的是身安、厚味、美服、好色、音声。

② 所厌弃的是贫穷、卑贱、短命、恶名。

③ 所烦恼的是形体不能安居逸乐、口腹不能得到美味、外表不能有华丽服饰、眼睛看不到美好的颜色、耳朵不能听到动人的音乐。

④ 因此太平盛世的音乐安宁而且快乐，表明其政治和谐。

⑤ 动乱时代的乐声悲怨而且愤怒，表明其政治混乱。

⑥ 要国家败亡的乐音悲哀而又伤心，表明人民生活的困苦。

⑦ 音乐的道理与政治相通，有什么样的世道，就会有什么样的音乐。

⑧ 道德，是人性情的集中体现；音乐，是人道德的升华。

⑨ 金、石、丝、竹，是音乐的表现手段。诗，是表达思想感情的；歌，是通过歌声咏唱出来的；舞，表现出外形的激动。这三者都发自于内心，然后乐器随之演奏出来。

⑩ 所以，感情深入文采便显著，精神振作表演便有神气，平和顺畅的情感积聚于内心，卓越的才华便显露于外表。

⑪ 只有音乐是无法假装出来的。

⑫ 贞观二年，太常少卿祖孝孙奏上他制作的新雅乐。太宗说："制作礼乐，本来是圣人取法天地物象而施行的教化，政事的好坏，怎么能跟它有关呢？"

花》，齐将亡也而为《伴侣曲》。行路闻之，莫不悲叹，所谓亡国之音。以是观之，实由于乐。"①太宗曰："不然，夫音声岂能感人？欢者闻之则悦，哀者听之则悲，悲悦在于人心，非由乐也。将亡之政，其人心苦，然苦心相感，故闻之则悲耳。何有乐声哀怨，能使悦者悲乎？今《玉树》、《伴侣》之曲，其声具存，朕当为公奏之，知公必不悲耳。"②尚书右丞魏徵进曰："古人称，礼云，礼云，玉帛云乎哉！乐云，乐云，钟鼓云乐哉！乐在人和，不由音调。"太宗然之。③

——《贞观政要·礼乐》

7. 故歌者上如抗，下如队，曲如折，止如槁木。④ 倨中矩，句中钩，累累乎端如贯珠。⑤ 故歌之为言也，长言之也。说之，故言之；言之不足，故长言之；长言之不足，故嗟叹之；嗟叹之不足，故不知手之舞之，足之蹈之也。⑥

——《乐记》

---

① 御史大夫杜淹回答说："前朝的兴亡，的确是由于音乐。陈朝快要灭亡时，创作了《玉树后庭花》，南齐快要灭亡时，创作了《伴侣曲》。过路的人听到了，没有不悲哀流泪的，这就是所谓的亡国之音。从这一点看来，国家的兴亡确实与音乐有关。"

② 太宗说："不是那样的，音乐怎么能影响人的情感？原本欢乐的人听了就喜悦，原本哀愁的人听了就悲伤。欢乐和哀愁存在于人的心中，并不是由于音乐的影响。将要灭亡的国家，百姓的内心就会愁苦，因为愁苦心情的影响，所以听到这种音乐就觉得悲伤。哪里有哀愁的乐声能使愉快的人悲伤呢？如今《玉树后庭花》《伴侣曲》的乐谱还都在，我能为你们演奏一番，我知道你们一定不会感到悲伤的。"

③ 尚书右丞相魏徵进言："古人说：'礼呀礼呀，仅仅是指的玉帛吗？乐呀乐呀，仅仅是指的钟鼓吗？'音乐的关键是在人们的和睦，而不在于音调。"太宗十分赞同。

④ 所以唱歌时，声音向上进行，气息的运用好像在举起重物，声音向下进行，气息的运用好像往下坠落。

⑤ 旋律的进行要有曲折感，歌曲的休止要果断，就像折断一根枯木，各种各样的歌曲都要唱的有规有矩，一连串的音符连接就像一串串的珍珠那样闪闪发光。

⑥ 歌曲作为一种语言，不过是拉长了声调的语言。心里高兴就用语言表达，语言不足以表达，就拉长声调，拉长声调尚不足以表达，就加重感情咏唱，加重感情咏唱还不足以表达，因此就不知不觉地手舞足蹈起来了。

8. 余谓琴者心也,琴者吟也,所以吟其心也。① 人知口之吟,不知手之吟;知口之有声,而不知手亦有声也。② 如风撼树,但见树鸣,谓树不鸣不可也,谓树能鸣亦不可,此可以知手之有声矣。③ 听者指谓琴声,是犹指树鸣也,不亦泥欤!④

——李贽《焚书·琴赋》

① 我认为琴是表达人内心情感的,琴是用来吟唱的,因此用吟唱来抒发人的内心情感。

② 人们知道口可以吟唱,但不知道手也可以吟唱;知道口能发出声音,而不知道手也可以有声音。

③ 就像风摇动树,只听见树的响声,说树不发出声响是不可以的,认为树发出响声也是不可以的,由此可知手也可以有声音啊。

④ 听的人所指的"琴声",就如同指"树鸣",不也混淆不清了吗!